アジアの虐殺・弾圧痕を歩く

ポル・ポトのカンボジア／台湾・緑島／韓国・済州島

藤田 賀久

えにし書房

わがこゝろのよくてころさぬにはあらず。
また害せじとおもふとも、
百人千人をころすこともあるべし。

『歎異抄』

はじめに

日本は先の大戦で焼け野原となった。それでも戦後には経済大国へと登り詰めた。日本人の勤勉さと努力の成果である。しかし、忘れてはいけない。能力が存分に発揮されたのは、平和に恵まれたからであった。

私たちの隣人は平和ではなかった。アジア各地は戦争や内戦、虐殺、圧政、そして貧困など、あらゆる苦しみが襲った。

本書で紹介するカンボジア、台湾、韓国済州島の悲劇は、日本人には他人事（ひとごと）かもしれない。視界に入れる必要などないといわれるかもしれない。たとえ視界に捉えても、たやすく理解できないかもしれない。日本の過去に似た経験がないからだ。

日本人も先の大戦で苦しんだ。しかし、まだ敵と味方の区別はあった。本書で取り上げた隣人は、敵と味方の境界が見えなくて苦しんだ。いつ誰が命を奪いに来るか分からなかった。人は人を信じられず、ただ口を閉ざして感情を殺すしかなかった。

隣人の悲劇を他人事と言うのは簡単だ。しかし、もしかしたら、彼らは自分だったかもしれない。私たちが平和な戦後日本に生まれてきたのは偶然にすぎない。ならば、70年代のカンボジアに生まれてこなかったのも偶然にすぎない。自分と他人の間にはさほど境界がない。ならば、隣人の苦しみは、自分の苦しみだったかもしれない。妄想のようだが、本書を書くにあたり、改めて現地を訪ね、人々から話を聞き、本を読み漁ると、この妄想が限りなく真実に感じた。

いまだに核心に触れた手応えがない。今も遠くから眺めている感じがする。そこで読者にお願いしたい。もし現地を訪ねられたならば、見たこと、感じたことを教えてほしい。

過去の悲劇に今も苦しむ人がいる。近づくべきではない場面もあった。その一方で、悲劇を忘却せず、広く世界に伝えたいとの訴えもあった。このジレンマに悩みながら本書を書いた。

藤田　賀久

2020年　10月

アジアの虐殺・弾圧痕を歩く〈目次〉

第1章　クメールの笑顔
── ポル・ポト時代のカンボジア

S21（現在ツゥール・スレン虐殺犯罪博物館）に残る鉄条網。
この中に収容された 12,000 人は、自分がなぜ捕まったのかすら分からないまま、
ここからキリングフィールドに送られた。生存者はわずか 12 人。

人間の歴史は悲劇の積み重ねである。戦争や疫病、飢餓など、悲劇の理由も数えきれない。1975年から1979年にかけてカンボジア人が経験した悲劇は、その残虐性と理不尽さで、人類の負の歴史に残るだろう。

ポル・ポト政権下のカンボジアは、人間社会のすべての不平等を糾そうとした。この原始共産主義という「理想」の実現に向けて、人間社会が築いてきた伝統や文化をすべて否定し、この革命に立ち塞がる人々を次々と処刑した。その結果、700万人強のカンボジア人口のうち、わずか4年で100万人以上が犠牲となった。

国家間同士の戦争ではない。原爆などの大量破壊兵器も使っていない。同じ国の同じ民族が隣人を鉄棒で殴り殺した。殺す側も、やがて殺される側に立つ日を恐れた。この時期のカンボジアは、人間の存在そのものが根底から脅かされたのであった。

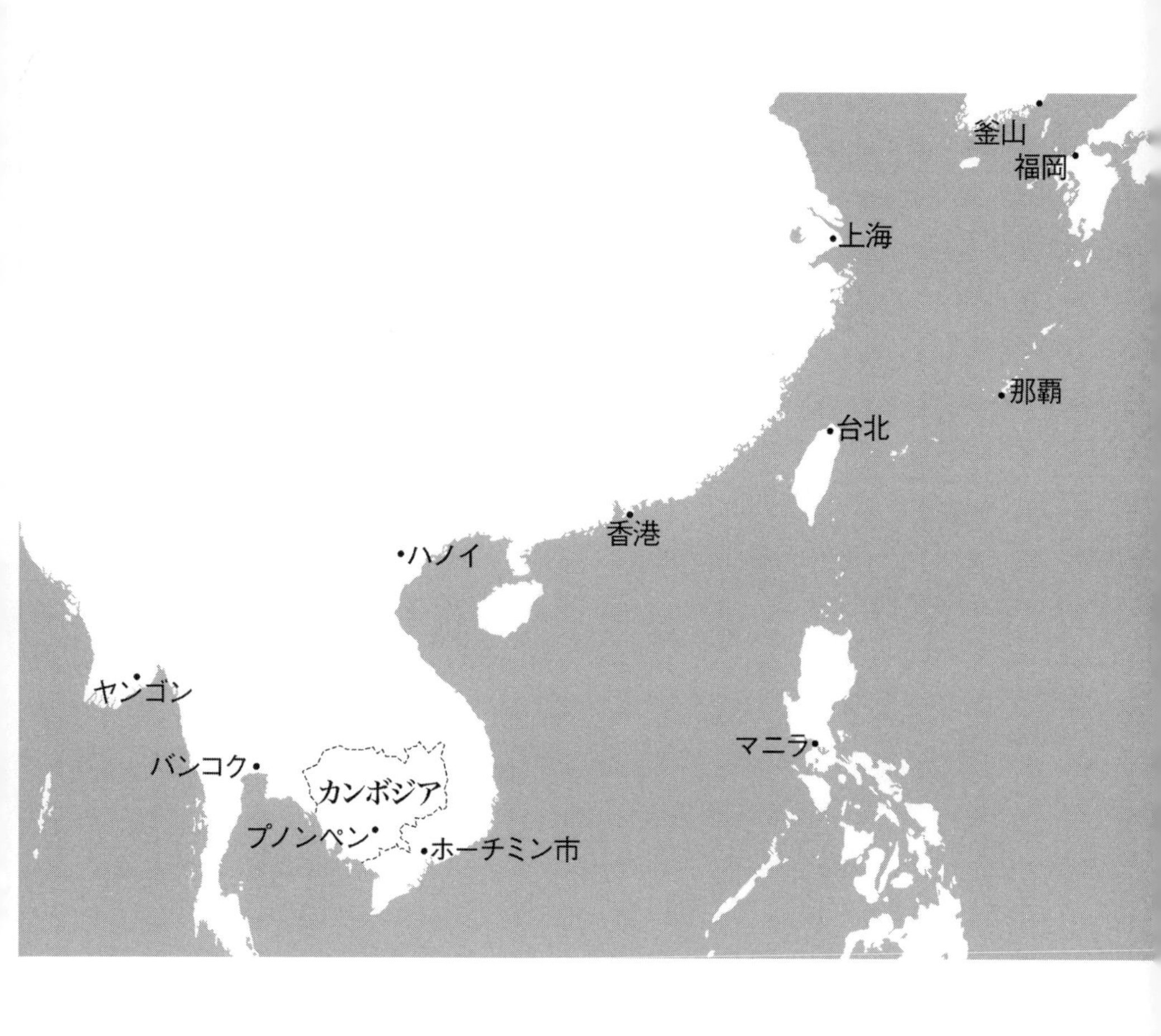
釜山
福岡
上海
那覇
台北
香港
ハノイ
ヤンゴン
マニラ
バンコク
カンボジア
プノンペン
ホーチミン市

プノンペン
メコン川
トンレサップ川
ワット・プノン
カンボジア郵便局
プノンペン駅
プノンペン国際空港
セントラル・マーケット
FCCカンボジア
国立博物館
(カンボジア・リビングアーツ)
王宮
ボファナセンター
トゥール・スレン虐殺博物館
バサック川
キリング・フィールド

1　プノンペンに到着

よく晴れた日に飛行機に乗るのは楽しい。離陸して高度が上がると、窓の下の視界が一気に広がる。この感覚が好きで、飛行機に乗るときはいつも窓側を選んでしまう。

しかし、バンコクを飛び立った飛行機からは何も見えなかった。空は大気汚染で白く霞み、視界が封じられた。延々と田園風景が続く大地を空から見ようと期待していたのでがっかりした。

しばらくして浅い眠りから目を覚ますと、窓の外の空気が澄んでいた。深い緑と赤土の大地が限りなく広がっており、実に美しかった。しかし、ゆっくりと景色を見る時間はなかった。すでに飛行機は降下を始めていた。黄土色のメコン川が遠くに見えてきた頃、カンボジアの首都プノンペン国際空港に向けて最終着陸態勢を取った。

飛行機を降り、到着ビザを申請した。パスポートと30米ドル、そしてバンコクで撮影してもらった証明写真を係員に渡した。写真を忘れても追加料金（という名のワイロ）を払えば大丈夫と聞いたことがあるが、本当のところは分からない。カウンターには係員が横一列に座り、パスポートにビザのシールを貼って持ち主の名前を大声で呼んでいた。名前を呼ばれてパスポートを取りに行くが「これは俺のものではない」と突き返す人もいたので、自分のパスポートが無事に手元に戻るまでやや心配だった。

入国審査を通過して到着ターミナルを抜けるとタクシーカウンターがあった。初老の係員にホテル名を告げた。係員は「このドライバーはまじめで素晴らしい好青年だから25ドル払ってやってくれ」と目の前のタクシー

王宮。カップルの結婚写真スポット

ワット・プノン

を指した。「マナーが悪くてもいいので安いタクシーに乗りたい」と言い返すと「彼の車は新しいから快適だ」と笑って譲らなかった。運転手は係員に心づけでもしているのだろうか。ちなみに『地球の歩き方』を見ると、空港~市内は「12~18ドル」とあった。

空港と市内を繋ぐ高速道路はない。そのため、空港を出るとただちに東南アジアの雑踏に放り込まれる。現地の空気を楽しみにしていた旅人ならば興奮する瞬間だ。しかし、スケジュールを詰め込んでいる出張族だとたまらなく苦痛だろう。

この日のラッシュは特にひどかった。1時間が過ぎてもタクシーはまだ空港付近に埋もれていた。好青年ドライバーもイライラしてきた。彼の友人が所属する社会人サッカーチームの優勝祝勝会に間に合わなくなるからだった。

幸い、その友人が空港の近くにいたようで、しばらくするとタクシーに乗ってきた。2人はプノンペンで生まれ育った幼馴染で、友人は外資系企業のプノンペン支社に勤めるエリートだった。サッカーの話で盛り上がると、

ペン夫人像

ドライバーは「優勝できたのは仏様のおかげだ」とつぶやいた。試合前、ワット・プノンを参拝したという。彼はやはり好青年だった。

彼らの言葉に従い、翌日、ワット・プノンを参拝した。「ワット」は寺院のことだ。プノンペンの繁華街からやや北の外れにある小高い丘の上にあった。長い階段を登り切り、本堂に入ると金箔で全身が覆われた仏像が鎮座していた。

隣には、14世紀に実在したというペン夫人の像が祀られていた。彼女は、街の東側を流れるトンレサップ川に仏像が浮いているのを見つけて拾い上げた。そして、この丘の上に祀った。クメール語で「丘」は「プノン」。つまりプノンペンという名はペン夫人の丘という意味だ。本殿裏にもペン夫人像が安置されており、多くの女性が手を合わせていた。

ワット・プノンの参拝を済ませた後、5分ほど歩いて中央郵便局に行った。フランス植民地時代の建物であり、1階に併設されているコーヒーショップは天井が高くて快適だった。苦いアイスコーヒーを飲むと、東南アジア

中央郵便局

の強烈な日差しで疲れた体の火照りが鎮まった。体力が回復し、お店を出る時、店員たちに「オークン」（ありがとう）というと、はにかんだ笑顔を見せてくれた。どこに行っても仏像を拝む穏やかな姿と、人々の優しい笑顔に触れることができる。カンボジアとはそんな人々の国だと思った。

2　クメールの笑顔――カンボジア・リビングアーツ

国立博物館の玄関に立つガルーダ。
これほど愛らしいガルーダは東南アジアでもそう見かけない。

国立博物館にて

トンレサップ川沿いには、シルバー・パゴダや王宮などの観光スポットが集まっている。そのため、いつも多くの観光客が川から吹く風を浴びながら散歩している。

川を背にして街中に入ると、朱色が鮮やかなクメール様式の国立博物館があった。ここの玄関ホールで出迎えてくれるガルーダ像は必見だ。ガルーダとはインド神話発祥の神鳥であり、インドネシアにはガルーダ・インドネシア航空があり、タイ王国の国章にも描かれているなど、東南アジアの至る所で出会うことができる。しかし、この博物館の玄関ホールのガルーダは、愛らしさではトップクラスだと思う。カンボジア全土から集められた神像や仏像もどこか愛嬌があり、見ているとなぜか笑顔になった。

カンボジア・リビングアーツ

博物館の建物を出て裏手から帰ろうとした。すると敷地内に小さなステージがあった。屋根はビニールシートの簡単なものだった。夜はここで伝統舞踊が上演されると聞いた。その日の夜は予定がなかったので、20ドルの当日チケットを購入した。

午後7時半の開演時間に間に合うように再び博物館に戻った。プノンペンの街はすっかり暗くなっていた。昼間に購入したチケットを渡し、階段状に設置された座席の中央に案内された。私が座った時はまばらだったが、開演時間直前になると次々と欧米人団体客が入ってきた。

舞台脇に音楽隊が陣取った。準備万端、いよいよ始まる、と思った時、突然スコールが襲ってきた。ビニール屋根を大粒の雨が勢いよく叩きつけ、会場内に轟音が響いた。

しかし、音楽隊は全く気にすることなく、静かに演奏を始めた。繊細だが力強く一定のリズムを刻む太鼓の音が心地よく、いつの間にかスコールの轟音が意識から消えていた。初めてなのに懐かしく感じる音色だった。そして、アンコール・ワットの壁画から抜け出てきたような天女アプラサが現われ、ゆっくりと優雅に舞い始めた。

鑑賞に先立って予習したわけではないので正確な演目は分からなかったが、それでも神々の決闘、神と人の対話、孔雀のダンス、農作業、食事の準備、漁、恋愛、日照り時の雨乞いなど、次々と変わる場面の意味は明快だった。

伝統舞踊というイメージにつきものの堅苦しさはなかった。彼らは人々の日常生活を表現していた。何千年にもわたってカンボジアの大地の上で繰り返されてきた人々の生活だ。本来、日常生活などは単調で退屈な繰り返しにすぎない。しかし彼らは、満面の笑顔で表現していた。

1時間のステージが終わり、ダンサー全員が舞台に並んだ。観客は大きな拍手を送った。その時、スクリーン上に、この伝統舞踊をプロデュースしているカンボ

カンボジア国立博物館の中庭。朱色の美しいクメール建築。
カンボジア・リビングアーツのステージも同じ敷地にある。

ジア・リビングアーツ（CLA）の創設者兼マネージャーの写真とともに、「芸術分野に挑戦する若者をサポートしてほしい」というメッセージが映し出された。

そのメッセージに衝撃を受けた。「私の夢は、カンボジアと世界の子供たちが、楽器を持ち、歌を歌い、踊りを踊ることです。彼らには、かつての私のように武器を持たせたくありません」とあったからである。

アーン・チョンポン

彼の名はアーン・チョンポン（Arn Chorn-Pond）。1966年、プノンペンからおよそ300キロ北西の街バタンバンで生まれた。父は劇団を経営しており、彼も6歳でステージに立った。

1975年、彼が9歳の時、ロン・ノル政権が崩壊し、ポル・ポト（1928～1998年）率いるクメール・ルージュ（カンボジア共産党）がカンボジア全土を支配下に収めた。すると、彼は家族から引き離され、他の子供と共同生活を強いられた。生活の場は寺院だった。しかし僧侶はいなかった。宗教を否定するクメール・ルージュがすべて殺害した後だった。

毎日、子供たちの目の前で敵が処刑された。敵といってても同じカンボジア人だった。反逆罪か反革命罪であった。

処刑から目を背けたり、悲しい顔を見せることは許されなかった。それは敵への同情と見なされた。また、処刑を命令する「オンカー」の批判とも捉えられた。そうなれば、次は自分が処刑される。

オンカーとはクメール・ルージュの「組織」を指す。ポル・ポト政権下のカンボジア人が最も恐れたのがオンカーだった。「パイナップルの目」と人々は呼んだ。いくつもの目で常に人々を見張っているからだった。

オンカーの命令は絶対だった。逆らうことは死を意味した。しかし、誰もオンカーの正体を知らなかった。

アーン・チョンポンは他の少年とともに戦場にも駆り出された。敵はヴェトナム兵であった。多くの仲間が銃弾で斃れた。しかし、やはり悲しい表情はできなかった。泣いたりすると反革命分子として後ろから撃たれていたかもしれない。

ポル・ポト政権は旧文化も抹殺した。伝統舞踊も例外ではなく、衣装や小道具、書物などは焼かれ、関わっていた人たちは殺された。アーン・チョンポンは、特技のフルートなどでポル・ポト政権を賛美する宣伝音楽を担った。これで奇跡的に生き残れた。しかし、他の子供たちは演奏が下手だという理由で殺された。「練習を重ねれば上手になる」と必死に仲間の命乞いをしても無駄だった。

ポル・ポト政権が崩壊した1979年、彼はタイ国境に逃れ、難民孤児を救出していたアメリカ人牧師ピーター・ポンドと遭遇した。ポンド牧師はカンボジア人孤児16人を養子にしてアメリカに連れて帰った。幸運なことに、アーン・チョンポンもそのひとりだった。

アメリカで教育を授けられ、1998年にカンボジアに帰国した。すると彼は、ポル・ポト政権時代に抹殺された伝統舞踊の復活に動き出した。衣装や小道具、関連書物、そして経験者も失われていたため、再出発は大きな困難を伴ったが、仲間を募り、資金を集め、次世代を支援する奨学金も創設した。こうしてカンボジア・リビングアーツというチームが生まれた。

ステージで見たダンサーたちの笑顔は、今も強く心に焼き付いている。あの笑顔は、ダンサーたちにとっては自分の夢を追求する喜びであった。また、カンボジアに伝統舞踊が復活した喜びであり、太古の昔から変わらず続いてきた人間の一生の営みを再び送ることのできる喜び、嬉しいことも悲しいことも自由に表現できる喜びであったと思う。

カンボジア国立博物館（National Museum of Cambodia）
https://www.cambodiamuseum.info/index.html

カンボジアン・リビングアーツ（Cambodian Living Arts）
https://www.cambodianlivingarts.org/

3　ポル・ポト時代の表情

ボファナ・センターにて

カンボジア・リビングアーツのダンサーたちの笑顔を思い出す時、どうしても頭に浮かぶ映像がある。それは「ボファナ・センター」で見たポル・ポト政権時代の記録映像である。そこには、大きな石が転がる荒涼な土地の上で、クメール・ルージュの黒色の作業着に身を包んだ大勢の人たちが、石を動かし、土を掘り、モッコで運び出す姿が映っていた。

ポル・ポト政権ではダムやため池、運河、用水路などの土木工事が多かった。私が見たのもダムか用水路の建設シーンだと思う。かなり大規模な工事だった。解説がなかったので、正確な場所や工事目的すらも分からなかった。

見ていて疑問に思った。もしかすると、映像に映る多くの人たちも、自分が何を作っているのか、実は知らなかったのではないだろうか。しかし、たとえそうだとしても、誰かに尋ねたりすることは控えただろう。スパイ容疑で殺されたくないからだ。

会話の場面もなかった。もっとも、会話などなかったと思う。「疲れた」とつぶやくと、オンカー批判と密告されるかもしれない。

他の共産主義国と同様に、ポル・ポト政権も宣伝映像を作成していた。そこには革命の理想に向かう喜びの笑顔があった。しかし、私が見た映像では、土を運ぶ人々が動いていただけだった。どの顔にも表情がなかった。表情がない人の群れは恐ろしかった。

私がカンボジアで接した人たちは、笑顔、はにかみ、照れなど、表情が豊かだった。しかし、ほんの50年程前のカンボジアでは、表情を出すと殺された。それは、人間であることの否定であった。

新人民と基幹人民

肉体労働に駆り出されたのは「新人民」と定義された人たちであった。新人民とは、ポル・ポト政権が誕生するまで敵側の支配地域にいた人たちを指す。その代表例がプノンペンなど都市に住んでいた人々である。

1975年4月17日、クメール・ルージュはロン・ノル政権を倒してカンボジア全土を手中に収め、首都プノンペンを「解放」した。プノンペン市民は、クメール・ルージュの兵士を歓声で迎えた。腐敗にまみれたロン・ノル政権下で苦しい生活を強いられていたからであった。

しかもロン・ノル政権はアメリカの軍事支援を受けていた。アメリカがクメール・ルージュの拠点を空爆で叩く時、多くのカンボジア人も巻き添えとなった。そのため、人々はロン・ノルもアメリカも恨んでいた。そして、クメール・ルージュを平和の実現者と思った。

しかし彼らは即座に裏切られた。クメール・ルージュがプノンペンを支配すると、全市民は即時かつ無条件の退去を命じられた。市民に選択権はなかった。逆らうと即座に殺された。

退去の理由として、深刻な食料不足が迫っていることや、アメリカが大規模空襲を企んでいるといったことなどが挙げられた。すぐにプノンペンに戻ることができると言われた市民もいた。

しかし、すべてがウソだった。ポル・ポトの真意は、都市生活を根絶することであった。都市は「革命」の敵だった。ポル・ポトの目には、都市は生産性がなく腐敗が蔓延し、快楽を追いかけ、農民や労働者を虐げると映っていた。

老人や入院患者も例外なくプノンペンから追い払われた。行き先など決まってはいなかった。体力のない者は次々と倒れた。反抗すると射殺された。特にロン・ノル政権を支えた人たちはことごとく殺された。こうして敵の巣窟を破壊することで「革命」の実現に大きく踏み出した。

　プノンペンを追い出された人々が到達したのは農村や未開発地域であった。彼らはここで「新人民」として働かされた。私がボファナ・センターで見た記録映像の中の労働者たちは、おそらくはこうした都市から追放された新人民だろう。衛生条件は劣悪で、粗末な食料しか与えられず、ダムや水路などの建設を強いられた。クメール・ルージュは彼らに対して「お前たちが生きていても何の得にもならない。お前たちが死んでも何の損失にもならない」という態度を取った。

　一方、内戦時からクメール・ルージュ側にいた兵士や農民たちは「基幹人民」と呼ばれた。基幹人民の中でも階級が分けられた。身内に新人民がいない基幹人民は「完全な人民」と呼ばれた。

　ポル・ポト政権が目指したのは、すべての人たちを平等にする共産主義社会の建設にあった。「理想」を実現するためには「敵」の創出が必要であった。そのために基幹人民と新人民という新たな差別構造を作った。こうした矛盾は他の共産主義国家にも見られた。

　では、こうして造られた「敵」が絶滅した後はどうするのだろうか。おそらくは、また新たな「敵」を創出するしかなかったのだろう。

ボファナ・センター
（Bophana Audiovisual Resource Center）
64 street 200, 12211, Phnom Penh, Cambodia
+855 (0) 23992174
月～金：8時～12時、14時～18時
土：14時～18時
http://bophana.org

　カンボジアの映画監督リティ・パニュ（Rity Panh）らが提唱し、カンボジア文化芸術省（Ministry of Culture and Fine Arts）の協力のもと、フランス政府の助成を得て2006年12月開設。ポル・ポト時代に散乱したカンボジアに関する映像資料の収集と保管、カンボジアの歴史や文化に関する新たな記録映像の制作、そして映像制作に関する教育活動を行っている。ポル・ポト時代の聞き取り映像は圧巻。最近ではカンボジアの若者に向けたクメール・ルージュ時代の歴史が学べるアプリを開発した。フランスやアメリカ、オーストラリア、国連など世界から支援を受けている。名称はボファナという女性（後述）にちなむ。

この国の寺院には、熱心な信者が多く集まっている。
ポル・ポト政権では、仏教も抹殺され、人々の心の安寧も奪われた。

4　チュン・エク村のキリング・フィールド

キリング・フィールド

世界の人々が知るカンボジアといえば、アンコール・ワットとキリング・フィールド（処刑場）だろう。アンコール・ワットは、人類の宗教文明のひとつの到達点である。そしてポル・ポト政権の処刑場であったキリング・フィールドは、いうまでもなく人類史で特筆すべき残虐行為である。クメールの人たちは人間が持つ両極の本性を自国に残した。

キリング・フィールドはカンボジア全土にあった。その中で特に有名なのはチュン・エク村のそれである。プノンペンの市街地から南西およそ15キロの郊外にあり、旅行者でも容易に訪ねることができる。個人旅行ならば、プノンペンからトゥクトゥクやタクシーを利用し、入り口前の駐車場で待ってもらうとよい。

ここを訪ねる人にアドバイスがある。なるべく午前中の晴れた日に行くべきだ。また、服装も選びたい。死者に失礼になってはいけない。

慰霊塔

正面ゲートで日本語のパンフレットをもらい、音声案内を借りた。敷地はきれいに整備され、足元はゴミ一つ落ちていない。

正面の左手に慰霊塔が立っていた。外壁は透明なガラスが張られているので内部が見える。白い頭骨が整然と並ぶのが遠くからでも分かる。

中に収められた遺骨は８９８５体分だが、ここで殺さ

慰霊塔

慰霊塔の内部。ここに並ぶ遺骨は、白く、形も崩れておらず、一見して新しいことが分かる。
そのことがかえって見る者に恐怖を与える。

上：死刑直前まで収容された小屋

下：マジックツリー

チュンエク村のキリング・フィールド
(Killing Field,Cheung Ek)
行き方：プノンペン市内からタクシーやトゥクトゥクなどで約30分。ホテルのカウンターや旅行会社に相談してもいい。現地では日本語の音声案内がある。
住所：Roluos Village, Sangkat Cheung Ak, Phnom Penh
電話：023-305-371
営業時間：午前7時～午後5時30分

れた犠牲者はもっと多い。足元には今も遺体が埋まっている。雨が降ると地表が削られ、骨が出てくることもあるという。

慰霊塔の前で線香と供花が売られていた。それをもらい、手を合わせた。強烈なめまいと吐き気が襲ってきた。慰霊塔に近づいて周囲を一周し、内部に入った。目の前に頭骨が何層にも重ねられていた。よく見ると、20歳未満、20歳から40歳、40歳以上と年齢別に区分けされている。犠牲者は年齢を問わなかった。

頭骨には小さな丸印がつけられており、その色で処刑方法が分かる。ほとんどが鉄棒や斧、竹槍、バールといった原始的な道具で殴り殺され、突き殺された。断首の痕跡がある遺骨もある。

私が訪ねたのは乾季の2月、空気が澄みわたる午前中だった。雲ひとつなく見事な青空の朝、プノンペンからトゥクトゥクに乗ってここまで来た。目の前の頭骨の持ち主たちも、40年程前に私と同じ道を辿り、ここまで連れてこられた。ただし彼らの移動は夜だった。私は再び帰れるが、彼らはここで人生を終えた。そう考えると、目に映るものすべてが灰色に見えた。

盲目主義

プノンペンのトゥール・スレン収容所から連れてこられた死刑囚は、すぐに処刑された。輸送と処刑はたいてい夜間に実施された。しかし、1日に処刑できるのは多くても300人程度であり、それ以上の数が運び込まれた場合は、一時的に小屋に収容された。

その小屋があった場所には案内板が立っていた。解説によると、小屋には窓がなかった。死刑囚に外の様子を見せないためであった。電灯もなかった。死刑囚がお互いの顔を確認しないためであったという。徹底した秘密主義だった。

しかし、そもそも窓も電灯も必要なかった。死刑囚は、収容所を出発する時から黒い目隠しで視界を奪われたからである。目隠しが外されるのは処刑後だった。完全な盲目状態で人を死地に追いやったのであった。

死刑囚は耳も塞がれた。マジックツリーと呼ばれる木にスピーカーがつけられ、大音量で革命歌を流し、人々の断末魔を掻き消したのであった。

小屋近くにはＤＤＴ貯蔵用の倉庫があった。ＤＤＴはかつて日本でも殺虫剤として使われたが、ここでは処刑後の遺体にかけた。また、処刑直前の囚人にＤＤＴを混ぜた食事を与えることもあった。解説には「死臭を防ぐため」とあった。死臭が漏れたら、付近の農民にキリング・フィールドの存在が知られてしまうからであった。何もかも秘密にしたかったのだ。

しかし後日、化学を専門とする友人にこの話をしたら、ＤＤＴに消臭作用はないと教えてくれた。おそらくは、死体にウジなどが付着して疫病が広がるのを防ごうとしたのではないかということだった。

このキリング・フィールドが使われていた時、後述する画家のボウ・モンは、チュン・エク村の近くを通ると、強烈な獣の死臭がしたと振り返っている。完全な秘密主義を貫いたキリング・フィールドも、死臭だけはどうすることもできなかったようだ。

死刑囚の最期を考えてみた。彼らは視界を奪われていた。手錠によって触覚も制限されていた。騒音のような革命歌が鼓膜を振動していた。そして、強烈な死臭が鼻腔を突いていた。こうして最期を迎えたのだった。

地面のくぼみ

キリング・フィールドを一周すると、古い中華系の墓石が点在し、あちこちの地面がくぼんでいた。このくぼみは、かつて死体が投げ込まれた穴の跡である。

死刑囚が目隠しをされて穴の前に座らされると、死刑執行人は後方に立ち、鉄棒で後頭部を殴って気絶させ、首をナイフで掻き切り、手錠を外し、服を脱がせた後、遺体を穴に投げ入れた。手錠と囚人服はトゥール・スレン収容所に持ち帰り、次の死刑囚に利用した。そのため、服を血で汚さないように処刑することに気を使った。

キリング・フィールドの敷地内には太いヤシの木が目立った。葉の根元の硬い部分はナイフのように鋭く、ここで首を掻き切ることもあった。

また、ひときわ大きく太い木があった。幼児を殺すと

地面のくぼみ

きはこの木に叩きつけたという。無数の小さな命を慰めるため、木の表面は多くの飾りで覆われている。ポル・ポト政権下では、「雑草を刈る時は根っこまで」という方針があった。つまり、死刑囚の家族も殺された。子供にも容赦はなかった。恨まれて反撃されないためである。

では、何をすればこのような罪に問われたのか。最も多い罪状としては破壊罪や反革命罪があった。例えばある女性は、裁縫中に針を折ったことが破壊行為とされて処刑された。また、こういう話も聞いた。街中である少女が歌を歌っていた。それは、ポル・ポト政権が誕生する前の歌だった。この少女を見た兵士は、直ちに連行して処刑した。兵士は少女の家に戻り、血が染みついた服を家族に見せて「帝国主義者の悪い慣習を身に着けていた」と処刑理由を語った。

キリングツリー。乳幼児を処刑するときはこのひときわ太い木に叩き付けて殺した。

5　トゥール・スレン虐殺犯罪博物館

ポル・ポト時代の秘密収容所

キリング・フィールドを後にし、死刑囚が辿った道を逆走してプノンペン市内に戻った。そして、ツゥール・スレン虐殺犯罪博物館（S21）に来た。

ポル・ポト政権が成立する以前、ここは高校だった。塀の中に入ると、3階建て鉄筋コンクリート3棟が立っていた。その外観や廊下、教室などは、たしかに私たちが親しんだ学校の姿だった。だから、張り巡らされた鉄条網や、塞がれた窓を見ると、なおさら異常に思えた。

この学校はポル・ポト政権下に「S21」と呼ばれる秘密収容所と化した。現在は虐殺博物館として一般公開されており、当時の姿と空気を今に伝えている。

S21に連行されたのは1万2000人から2万人、こ

建物の外観（前ページ）だけを見れば、たしかに校舎の形をしている。本来平和であるはずの教育の場が、教育を全否定するポル・ポト政権の秘密収容所となった。窓に鉄格子をはめ、鉄条網を周囲に張り巡らした。

室内。発見時、このベッドの上には処刑された遺体があった。

収容者を拘束した足かせ

のうち生存者はわずか12人にすぎない。彼らを除く囚人は、先ほど訪ねたチュン・エク村のキリング・フィールドに連行された。S21で拷問を受けて絶命する人も多かった。

S21が発見されたのは1979年1月であった。ヘン・サムリン率いる「カンプチア救国民族統一戦線」(United Front for National Salvation、KUFNS)が、ヴェトナム軍の力を借りてポル・ポト政権を倒した時である。この時、ゴーストタウンとなっていたプノンペンに入ったヴェトナム軍の従軍ジャーナリストが強烈な死臭を感じた。その元を探して辿り着いたのがS21だった。建物内では数日前に処刑されたばかりの新しい死体が14体見つかった。「死体の中には、鉄製のベッドに鎖でつながれているものもあった。のどは切り裂かれていた。床についた血はまだぬれていた」状態であったという。

現在のS21も発見当時とさほど大差ない。もちろん死体は取り除かれているが、鉄製のベッドや鎖は当時のままである。床の血は乾き、黒くこびりついていた。壁には死体発見時の写真が貼られてあった。

収容者を吊るして拷問する鉄棒。下の瓶には水を張って窒息させた。

S21に残る鉄条網。内側は地獄だったが、外側に広がるプノンペンの街もゴーストタウンという地獄と化していた。ポル・ポト時代からすでに半世紀近くが経過した。しかし、ここには、かつてこの国が地獄であった時の空気がまだ消えずに留まっている。

囚人の写真

S21では収容された人々の写真が掲示されている。一人ひとりの顔を見ているうちに、先ほど訪ねたキリング・フィールドを思い出してしまった。慰霊塔内に並べられていた頭骨の持ち主の顔だった。生まれつき体が弱そうな人、おばあさん、若い女性、小学校低学年ほどの子供、さらには幼児もいた。家族全員の写真もあった。

どの顔も表情に乏しかった。しかし、目が訴えていた。怯える目、絶望の目、諦めの目がこちらを向いていた。

ひとりずつ直視しながら、この人々が殺された理由を考えた。しかし、どう考えても、幼児が死刑に値する重罪を犯すとは思えない。つまり、理由なく殺されたのだ。

人間の歴史は、理不尽な死が埋め尽くしている。飢饉や自然災害、戦争など、死因は無数にある。しかし、どれほど理不尽でも、死には理由がある。では、目の前に並ぶ写真の人たちは、どういう理由で死んだのか。やはり分からなかった。おそらくは彼らも分からなかっただろう。

死の理由が分からなければ、死から逃れる方法も見当たらない。ただひたすら無表情を貫き、オンカーという死神に見つからないように息を殺すしかなかった。ここの写真に写る人たちは、不幸にも、人間の理性や感情を自ら圧死させることができなかったのだろう。

囚人を撮影したカメラマン

ここに並ぶ写真はＳ21の写真係が撮影した。写真係のリーダーはネム・エン（Nhem En）といった。彼はまだ存命で、当時の経験を活字に残している。それらによると、１９６１年、プノンペン北60キロのカンポン・トラックで生まれ、11歳でクメール・ルージュに入った。同時に小学校を辞めた。主な任務は革命歌を歌うことと食料・弾薬を輸送することだった。

１９７５年４月にポル・ポト政権が成立するとネム・エンは、プノンペンに呼ばれて半年間の軍事訓練を受け、その後は中国に「留学」した。中国は社会主義国の少年に軍事戦略やレーダー技術、軍事技術、化学に関する教育を提供していた。ネム・エンは上海で地図作成と写真技術を学んだ。

1976年6月に帰国するとS21に配属された。中国で学んだ技術を初めて生かす場所であった。S21の役割は伝えられていなかったが、すぐに悟った。毎日、新たな囚人が連行されてきた。彼らはS21に到着すると、カメラがある部屋に入り、目隠しを取られ、囚人番号を首に掛けられた。手錠は外されなかった。身長測定の後、撮影があった。

いろんな囚人が連れてこられた。「自分は何も悪いことをしていない」「これまでオンカーに忠実であったのになぜ私を逮捕するのか」「オンカーが裏切った」「オンカーは同じクメール人を殺している」と訴える囚人もいた。ネム・エンは動揺を抑え、「私は写真を撮るだけだ」と自分に言い聞かせた。同情したら自分の身も危険になると知っていたからだ。「彼らの任務は彼らの責任、自分の任務は自分の責任」「彼らの髪の毛は彼らの頭にある（自分の髪の毛ではない）」と心の中で繰り返した。

老人や子供が囚人として連れてこられた時もあった。妊婦が拷問されることもあった。しかし、目の前の悲劇は、自分とは関係がないと思い込んだ。それでも、赤ん坊を抱く母親が連れてこられた時はさすがに動揺した。彼は、写真撮影に集中することで心を押し殺した。

囚人を見て苦しかったのは、彼らの運命の行く末を知っているからである。そして、それは他人事とは思えなかった。いつか自分も囚人にされるという恐怖がつきまとった。

その恐怖が近づいた時があった。S21の所長はドッチといった。彼は時々、ネム・エンに写真撮影の大切さを静かに話した。ある時、ドッチ所長はポル・ポトが写っているフィルムの現像を命じた。中国・北朝鮮・ユーゴスラビア訪問時の写真であった。撮影者は中国人だった。現像すると、ポル・ポトの左目付近にフィルムのシミを見つけた。彼のミスではない。しかしネム・エンは、いざという時のため、写真係の部下に証言を頼んだ。

やはりドッチ所長はこのシミを見つけた。しかしネム・エンが証言を頼んだ部下は「私は何も知らない」と裏切った。これでネム・エンの運命が決まった。S21から5キロほど離れたウサギ飼育所に転属された。革命の敵である「新人民」が働く場所であった。

しかし彼は助かった。中国人が撮影したネガに当初からシミがあったと判断されたからである。3か月後、再び写真係としてS21に戻された。S21には囚人として戻されるものと恐怖に怯えていたネム・エンは、皮肉にもドッチ所長の「正義感」に助けられた。

恋愛して命を絶たれたボファナ

ネム・エンたちが撮影した無数の囚人写真に、やや丸顔の若い女性がいた。首には「3」と書かれた囚人札が付けられている。目はやや鋭くカメラを睨みつけている。きれいな顔立ちで、強靭な意思の持ち主にも見え、どこか諦めているようにも見える。彼女はホート・ボファナ、25歳で拷問死した。

教師の父を持ち、フランス語とクメール語で育ち、遠縁のリ・シータと恋愛し、家族も結婚を許した。貧しかったが親戚や友人が多く、いつも明るかった。

1970年にロン・ノルとクメール・ルージュの内戦が始まると、ボファナの住む東バレー地域は戦場となった。リ・シータは徴兵を免れるために僧侶となった。ボファナは2人の妹とプノンペンに避難した。しかし道中でロン・ノル軍の兵士に暴行されて妊娠し、一時は自殺を考えた。

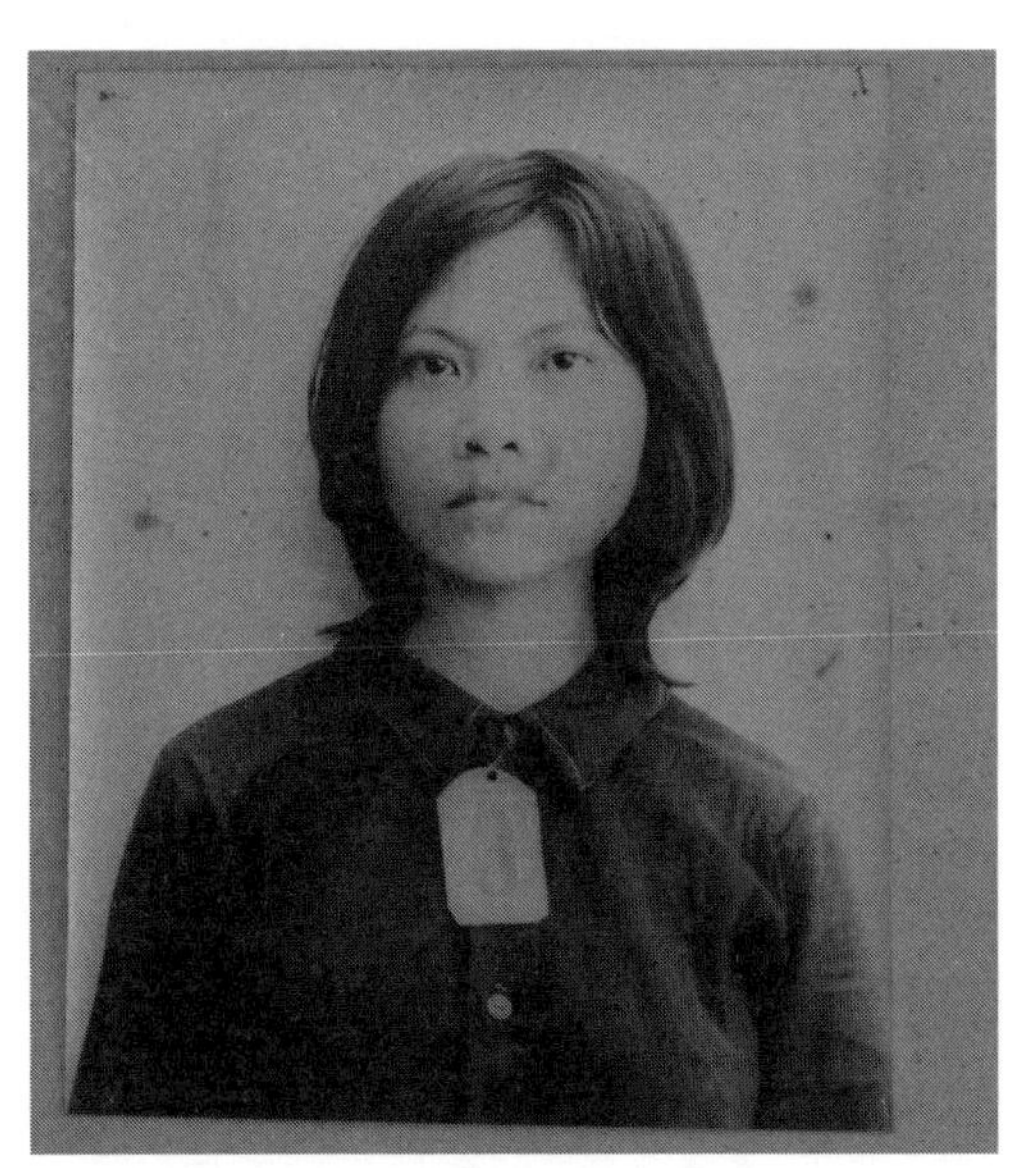

ボファナ

生き抜くことを選んだボファナは、プノンペンのセントラル・マーケットで雑貨を売って日銭を稼いだ。男子を出産し、さらに生活が逼迫した。条件の良い仕事を探したが、ワイロや口利きがないと困難だった。

やっと見つけた仕事は、アメリカ人が運営する福祉施設（La Maison des Papilions）だった。リ・シータとも再会できた。この時が人生で一番幸せだったかもしれない。

１９７５年にポル・ポト政権が成立し、プノンペンから全住民が追い出されると、ボファナは故郷に帰った。しかし故郷の目は冷たかった。彼女は都市に住んでいた「新人民」とされてしまったからだった。

お腹にはリ・シータとの子供が宿っていた。しかし新人民には運河建設などの重労働が課せられた。無理がたたって体を壊したが、医者は革命の敵としてすでに殺されていた。ボファナは、医学など学んだこともないクメール・ルージュ医学幹部に「治療」され、その結果流産した。

リ・シータはクメール・ルージュ幹部となりプノンペンにいた。ボファナが故郷に戻っていることを知り、２人は文通を始めた。ボファナは毎日の苦労を手紙に書いた。するとリ・シータは、彼女の村のクメール・ルージュ幹部に手紙を書き、ボファナをプノンペンに寄こすようにと要望し、自ら迎えに行った。

しかし、手紙を受け取った幹部は裏切った。リ・シータがボファナを迎えに行っている留守をねらって彼の部屋が捜索された。すると、フランス語、英語、クメール語で書かれたボファナの手紙が見つかった。これで、旧体制下で教育を受けていたことが知られてしまった。また、リ・シータがボファナを迎えに行ったのは、革命への忠誠心を失った証拠とされた。１９７６年10月、２人はS21に連行された。

ボファナは残虐な拷問を受けた。そして、女であることを武器に、クメール・ルージュ幹部のリ・シータを堕落させ、コメの輸送を妨害するなど、カンボジア破壊を企んだＣＩＡのリーダーだと「自白」した。かつてプノンペンでアメリカ人運営の福祉施設に働いたことが、アメリカ帝国主義の手先であった証拠とされた。ボファナは翌年３月、S21での拷問によってぼろぞうきんのよう

ボウ・モン

に殺され、キリング・フィールドに埋められた。

ボウ・モン

S21の生存者はわずか12人。その1人がボウ・モンである。彼は今もS21に通い、中庭に座り、見学者に自分の経験を語っている。

その小柄な老人は、挨拶に笑顔で応えてくれた。顔は笑顔だが、目は地獄を見た人が持つ特有の暗さがあった。今も地獄を見ているのかもしれない。

彼は1941年、まだカンボジアがフランスの植民地であった時代に、プノンペン北東部200キロのコンポンチャムという町で生まれた。家はメコン川沿いにあり、7人兄弟の5番目だった。5歳で近くの寺院に通い始め、僧侶からクメール文学と算数を学んだ。この時から絵を描くことが楽しくなり、いつもブッダの物語の1コマやライフルを持ったフランス兵士を地面に描いていた。

1956年、15歳の時、カンボジア男性の習わしに従って出家、還俗後はバッタンバンで家具の修理販売にたずさわり、その後は故郷の映画館に勤めた。1965年にはマ・ヨウンと結婚、1968年からは画家として生計を立て始めた。

慎ましく、穏やかな幸せであった。しかし1970年に内戦が始まった。シアヌーク王子を追放して政権を取ったロン・ノルとクメール・ルージュとの戦いである。ボウ・モンは、ロン・ノル政権と、その背後にいたアメリカを憎んだ。

ある時、北京に亡命中のシアヌークが、ラジオを通じてカンボジア国民にメッセージを発した。その中で「革命に参加し、独立と平和を模索し、国を発展させてほしい」とクメール・ルージュへの支持を訴えた。

ボウ・モンはこの放送を聞いた。そして、カンボジア人を苦しめるロン・ノル政権を倒し、シアヌーク王子を再びカンボジアに迎え入れるためにクメール・ルージュを支持しようと決意した。彼の周りにも同じ考えの人が増えていった。

1971年7月、ボウ・モンは、妻とともに、クメール・ルージュの革命に参加した。彼は画家の才能を生かしてマルクス、エンゲルス、そしてレーニンの肖像画を描くことで、革命の宣伝に貢献した。妻は演劇の任務を与えられた。資本家や封建主義者、帝国主義者が、農民や貧民を抑圧して搾取する様子を演じたのである。この間、2人に子供が生まれた。

1975年4月、ついにロン・ノル政権が倒れ、ポル・ポト政権が誕生した。この直後、ボウ・モン夫妻はプノンペン行きを命じられた。向かう道中で、プノンペンを追放された無数の人たちとすれ違った。体が不自由な老人や病人もいた。絶望の中、行く当てもなく辺境の地に追いやられていく人々を見て、ボウ・モン夫妻は革命に疑問を抱き始めたという。

プノンペン到着後のボウ・モンは、絵の技術を生かした貨物船の塗装や農業事務に就いた。妻は病院に勤務した。子供は収容施設に入れられたため、一緒に生活できなかった。

次にボウ・モンは技術学校（Rassey Keo Technical School）に配属された。トラクターやトラックの修理部品の説明書を書くなど、能力を生かせる仕事だった。

しかしある時、ボウ・モン夫婦の運命が暗転した。前触れもなく突然のことだった。新しい仕事は運河の掘削や農作業であった。食事は1日2回の粥のみで、早朝から深夜まで働かされた。肉体はボロボロになった。ボウ・モン夫妻はオンカーの敵として扱われたのである。もちろん、まったく心当たりなどなかった。

1977年8月16日夕方5時頃、2人の若い男性が車でボウ・モン夫妻を迎えにきた。そして、プノンペンの学校教師として迎えたいと言った。過酷な肉体労働に幻滅していたボウ・モンは、再び知的な仕事に就けることを喜び、妻と一緒に車に乗った。

しかし、車が向かったのは学校ではなくS21だった。門前に車が停車すると、武装した係員4名が出てきて2人を包囲し、手錠をはめ、目隠しを付けた。何が起こったのか理解できず、無実を訴えたが、係員は「オンカーはこれまで間違って人を捕まえたことがない」と言い返した。

ボウ・モンはS21の中に連行され、目隠しを外された。身長が計測され、首に570と書かれた札を掛けられ、写真を撮られた。この時同じ室内に、妻が目隠しと手錠を付けられて立っていた。これが妻を見た最後となった。

激しい拷問で自白を迫られた。しかし全く心当たりがない。ボウ・モンは「神に誓ってオンカーを裏切っていない。何も罪を犯していない」と叫んだが、「ここには神も僧侶もいない。オンカーはこれまで罪のない者を逮捕したことなどない」「お前を生かしておいても何も得るところがない。お前を殺しても何も失わない」と言われた。

尋問者たちは、オンカーを満足させる答えが欲しい。このように考えたボウ・モンは、彼らの要求通りの「自白」をすることにした。例えば「ある寺で僧侶に扮したCIAに誘われ、自分もCIAとなった」と答えた。しかし、そもそもCIAの意味すら知らなかった。尋問者は、カンボジア内のCIAネットワークを尋ねた。そこで、20人ほどの名前を挙げて一緒に活動したと伝えた。

しかし、虚偽の自白後には新たな恐怖が襲った。正直に話しても納得されず、「黙っていたら殺す」と言われたので自白を捏造したのだが、もしオンカーが「正直」な人物を求めているとしたら、自白が虚偽だと知られた瞬間に殺される。こういう恐怖だった。

死を待つしかない絶望の日が続いている時、18歳のS21幹部が、ポル・ポトの肖像画を描く技量を持つ画家を探しているのを知った。ボウ・モンは、自分は画家だと訴えた。「似ていない絵を描いたら殺す」と言われた。絵を描いたとしても、助かるとは思わなかった。ただ、少なくとも絵を描いている間は殺されることはないと思った。ドッチ所長は「もし絵を上手に書くことができなかったら、お前を肥料にする」と言った。

こうしてポル・ポトを讃える絵を描いた。ある部屋に通されると、他にも画家やポル・ポトの彫像を作成する彫刻家がいた。すべて囚人であった。

１９７９年1月7日、ボウ・モンは他の囚人と一緒にS21から連れ出された。彼は処刑の時が来たと怯えた。しかし、実はヘン・サムリン軍とヴェトナムの義勇軍の勢力がプノンペンに迫っていた。ボウ・モンたちは激しい戦闘の中を逃げた。そして、監視兵がひるんだすきに逃亡した。こうして奇跡的に命を繋ぐことができた。

しかし、妻の行方は分からなかった。

トゥール・スレン虐殺犯罪博物館(S21)
(Toul Sleng Genocide Museum(S21))
行き方：プノンペン市内。タクシーやトゥクトゥクに「S21」といえば通じる。
住所：St. 113, Boeung Keng Kang III, Phnom Penh
電話：023－6655－395
営業時間：午前8時～17時
https://tuolsleng.gov.kh/

6 殺す者と殺される者の境界

S21内の絵画

今、S21を訪ねると、かつてこの場で行われた出来事を描いた絵が何枚も壁にかけられている。これらは、かつての収容者で、ボウ・モンと同じように画家として奇跡的に助かったヘン・ナー（Heng Nath）が描いた。

彼の姿は2002年にフランスの協力で作成されたドキュメンタリー映像の中で見た。色は白く長身、体は細身だが体軸がしっかりして、ある種の生命力を放つ人物だった。

映像の中で、ヘン・ナーがS21を訪問する場面があった。驚いたことに、かつてS21の職員であった人たちも一緒だった。その1人はホゥイ（Houy）といった。小柄で痩せた男だった。ヘン・ナーは、少しためらうホゥ

ヘン・ナーが描いた絵、S21に展示されている。

イの背中を押してS21に入った。

壁に掲げられているヘン・ナーの絵の前に来ると、彼らは立ち止った。ヘン・ナーは「これらの絵は伝聞を元に描いたので、事実を正確に反映しているか確認したい」と言った。目の前には、生まれたての乳児を母から引きはがす兵士が描かれていた。ヘン・ナーは「乳児と母の泣き叫ぶ声は聞いたが、現場を見ていない」と言い、絵の描写が正確であるかとホゥイに質問した。ホゥイは返答に困って言葉を濁した。ヘン・ナーが「はっきりと答えてほしい」と強く迫ると、ようやくこの絵の通りだったと認めた。

次に2人は、上半身裸の囚人が縛られて床に押し付けられ、その首をナイフで切り裂く様子を描写した絵の前に立った。ホゥイは、この絵も現実だと認めた。

さらに、裸にされた無数の囚人が教室の床一面に隙間なく寝かされている絵があった。囚人は足を繋がれている。ヘン・ナーは「これは私が経験したことだ」と言った。黒板には発声を禁じると書かれてあり、「文字が読める人間はこれを読んで他の者に聞かせろ」と兵士が命令したことも覚えていた。

殺す者と殺される者

ヘン・ナーは、S21の元職員たちに向かって、どうしても聞きたかったという顔で、「自分たちも犠牲者だと思っているか」と尋ねた。元職員たちは「私たちも犠牲者だったと思う」と答えた。するとヘン・ナーは、「あなたたちが犠牲者だというなら、ここに収容されて拷問を受けた私はどうなるのだ?」と言い返した。

ホゥイは「命令に従わなければ私たちも殺された」と答えた。ポル・ポト政権下では、多くの人が処刑する側に立った。しかし、彼らもいつか殺される立場に回されると怯えていたのだった。

先述のボファナ・センターで見た別のビデオには、ある老婆が映っていた。彼女の息子はポル・ポト兵士だった。彼女は、息子を正しく育てたと繰り返した。そして、息子が人を殺したのは自分の意志ではなく命令であり、命令に背いたら息子が殺されていたと泣きながら話していた。

　しかし、犠牲者の無念は消えない。遺書は許されず、家族には逮捕されたことも処刑されたことも伝えられなかった。誰にも知られず、全くの孤独の中で命を消された。

　ホゥイらS21の元職員も、人々を拷問して処刑するのは辛く、むしろ戦場で戦いたかった、戦場で戦死しても本望だったと語った。では、彼らはどのように囚人を処刑したのか。驚いたことに、ドキュメンタリーではホゥイらS21の元職員が、囚人をチュン・エクのキリング・フィールドに連行する様子を再現していた。

　まず、S21の部屋に繋がれている囚人の元に行き、足枷を外して手錠をはめ、目隠しをした。部屋から連れ出し、収容所の庭に準備しているトラックに載せた。会話は許さない。囚人たちはいよいよ殺されると怯えるが、「何もしないから恐れないように」と諭し、トラックの荷台に座らせる。「声を出すと殴る」と警告する。

　キリング・フィールドに到着し、囚人を荷台から降ろす。この時、上官に「同志よ、君は処刑を恐れているか？」と聞かれ、「恐れていません」と答える。囚人に地面に座れと命じ、鉄パイプで後頭部を殴る。気を失い、前のめりに倒れた囚人ののどをナイフで掻き切り、穴に投げ入れる。ホゥイはテレビカメラの前でこの一連の動作を夜のキリング・フィールドで再現し、「こうやって私は5人を殴り殺した」と証言した。

7　クメール・ルージュ時代の傷

FCCプノンペン

トンレサップ川沿いには、フランス植民地時代の古い建物が立ち並ぶ。その多くがレストランやバーとなっており、いつも多くの人でにぎわう。川から吹く風も心地よく、多くの観光客でにぎわう。

その一等地にＦＣＣプノンペンがあった。ＦＣＣとは外国人記者クラブ（Foreign Correspondence Club）のことであり、かつて内戦時代には多くの外国人ジャーナリストや戦争カメラマンが集う情報交換の場だった。今はホテル兼カフェバーになっている。

上層階から外を見ると、トンレサップ川がメコン川に合流しているのが眺められて心地よい。カフェバーの壁には、かつてここに集まったカメラマンたちの写真が飾

FCC プノンペン

られている。

ポル・ポト政権崩壊後もカンボジアに平和は来なかった。むしろ新たな国際紛争を引き起こした。

ヘン・サムリン軍がポル・ポト政権を倒すことができたのは、ヴェトナム軍の軍事援助によるところが大きかった。しかし、ポル・ポト政権を支持していた中国は面白くない。そこで1979年2月、中国は「教訓を与える」という目的で、ヴェトナムに人民解放軍を送り込んだ（中越戦争）。

タイもヴェトナムの行動を不快に感じていた。ヘン・サムリン政権の援助を通じて、ヴェトナムはカンボジアに影響力を持とうと企んでいるのではないかと疑ったのである。そこでタイは、ヴェトナムを牽制するため、タイ国境付近のジャングルに立てこもったポル・ポト派の残党を支援した。具体的には、中国がポル・ポト派に武器を援助する際、タイ国内の通過を黙認したのであった。敵の敵は味方であった。

こうしてカンボジアは、周囲の国に翻弄されながら、親ヴェトナム派（ヘン・サムリン派）、反ヴェトナム派（ポル・ポト派、シアヌーク派、ソン・サン派）に分裂して内戦を続けた。パリ和平協定で内戦が終結するのは実に1991年のことだった。

1993年5月、カンボジアはUNTAC（国連カンボジア暫定統治機構）の監視下で国民選挙が実施された。UNTAC代表として国連事務局次長の明石康が着任した。しかし、ポル・ポト派は選挙をボイコットした。敵対と破壊よりも協力と建設の方が何倍も困難であることを国際社会は痛感した。

この選挙では日本の姿勢も鋭く問われた。日本は、停戦監視を行う国連PKOに自衛隊を参加させるべきか否かを巡り、国論を二分した。結局は、湾岸戦争後のペルシャ湾派遣に続く2度目の海外派遣となった。また、日本人国連ボランティア中田厚仁と文民警察官の高田晴行が襲撃を受けて帰らぬ人となった。

過去の清算は可能か

プノンペンを去る前、ポル・ポト時代を生きた人たち

FCC プノンペンの壁に掲げられていた写真。ポル・ポト派がプノンペンを占領した時のひとこま。

から聞いた言葉を振り返った。最も心に突き刺さったのは「人を信じられなくなった苦しみ」だった。他人を疑い、恐れ、何も話せなくなり、オンカーの影に怯える恐怖が連鎖して人の心を圧し殺した。

すでに地獄の時は過ぎた。しかし過去の清算は進まなかった。ポル・ポト派はタイ国境付近で1990年代後半まで勢力を保った。ポル・ポト本人は裁判にかけられず、いわば天寿を全うした。虐殺を認めず、S21の存在も知らないと答えていた。他の要人の裁判も遅々として進まず、カンボジア特別法廷が設置されたのは実に2006年のことであった。

街の人々も積極的に過去を振り返りたくはなかった。あまりにも多くの家族や友人を失ったからである。中には自分の家族が連行される様子を生々しく語ってくれた人もいたが、ポル・ポト政権の責任追及に関しては、あくまで私見だが、決して熱心には思えなかった。

なぜか。彼らの親戚、友人、そして隣人の中にも、かつてのポル・ポト兵士がいるからである。過去を暴くと、矛先は自分の周囲にも向けられる。

「そんなことをして過去の行為を反省させるとでもいうのか」。英語のできる初老の男性が語ってくれた。「あの狂気の時代に、オンカーの命令に背いて、人道的な行動を取るべきだったというのか。そんなことができるはずはなかった。『目の前の人を処刑しろ』と命令されたらそうすべきで、さもなければ即座に自分が殺されていた」。殺す側と殺される側にさほど違いはなかった。こうした話を何度か聞いた。過去に目を閉ざすのではなく、許したわけでもない。しかし、裁くことはできない。

S21のドッチ所長

ポル・ポトをはじめ、カンボジアを恐怖に陥れたリーダーたちは、最後まで自らの行為を正当化した。しかし、S21のドッチ所長の晩年は少し異なった。彼の本名はカン・ケク・イウ、貧しい中国系に生まれ、高校では奨学金を獲得し、高校の数学教師となり、ロン・ノル政権が樹立した1970年頃からクメール・ルージュに合流した。

すでに述べたように、ドッチの残忍性は有名だ。例えば彼は、自分の義理の兄弟もS21に連行している。カメラマンのネム・エンによれば、時々チュン・エクのキリング・フィールドまで車を飛ばして処刑を見つめていたという。

彼はS21職員に対しても冷酷だった。ある時、料理係が野菜の農薬を十分に洗い流さずにスープをつくった。すると農薬臭が残ったため、スープを捨てた。しかし、新しく作り直す時間がなかった。昼食時、ドッチはスープがないことに気づき、理由を尋ねた。料理人は正直に答えた。すると、料理人は全員処刑された。どういう罪状だったかは分からないが、おそらくは破壊罪とか反革命罪などであろう。

ポル・ポト政権崩壊と同時にドッチは姿を隠した。公に見つかったのは1999年のことだった。ドッチは医療活動のボランティアをしていた。あるジャーナリストが偶然見つけると、ドッチは隠すことなく自分の過去を認めた。発見される3年前にはカンボジア北西部で米国人宣教師と出会い、キリスト教に改宗していた。

2009年7月、ドッチはカンボジア特別法廷に立った。証言者のひとりとして法廷に出席した中に、画家のボウ・モンがいた。彼は裁判長に発言を許されると「私の妻はどこで殺されたか？　プノンペンだとチュン・エクか、それとも他の場所か？　私はその場に行き、彼女の魂を慰めたい」とドッチを問い詰めた。

ドッチは、裁判長に感謝を告げ、ボウ・モンに「貴方の妻に対する私の最大の弔意を受け取ってほしい」と前置きし「貴方の奥さんは、おそらくはチュン・エクで殺されたと思う」と答えた。そして、2人は激しく泣いた。

2010年、ドッチは人道に対する罪、及びジュネーブ諸条約違反で禁固35年を言い渡され、2012年の第2審では終身刑を言い渡された。

フランソワ・ビゾの『運命の門』

フランソワ・ビゾというフランス人の民族学者がいる。1940年に生まれ、インドシナ半島の仏教に魅せられたビゾは、1971年、カンボジアで調査中にクメール・ルージュに捕まった。そしてジャングル内のアンロン・ウェイン収容所に拘束された。ここの責任者が、後のS21所長のドッチだった。ビゾはCIAのスパイと疑われて処刑が決まっていたが、ドッチは彼を釈放した。

1988年、ビゾはプノンペンを訪れ、S21でドッチの写真を見つけた。S21の虐殺者とビゾの記憶にある理想に燃えた若き革命家が重ならなかった。ドッチはなぜ残虐に徹したのか。ビゾは徹底的に問い詰めた。そして、あの時代に生まれていたならば、誰もがドッチになり得たという答えに辿り着いた。

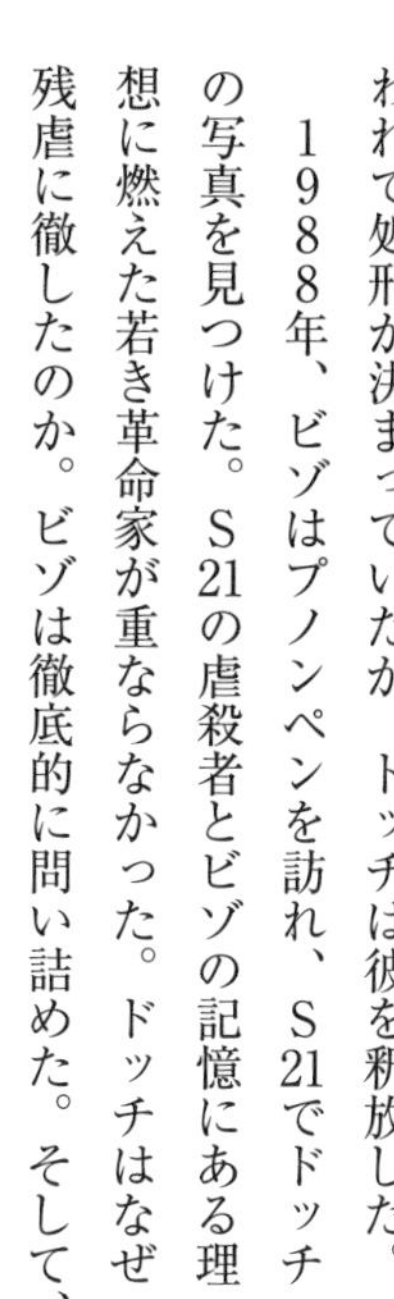
ドッチ

ビゾが自らの経験を綴った『運命の門』の結論は重たい。ビゾの答えが正しいのならば、私もドッチになり得たということだ。また、ポル・ポト政権下で殺された100万人超の犠牲者の1人にもなり得た。自分の意思とは無関係に、状況に翻弄されるしかない時代を想像するだけで、恐怖で足元がふらついた。

カンボジアの悲劇が教えること

ポル・ポト時代の忌まわしい記憶と空気が残る場所を後にした。豊かな表情の人々を見てようやく息ができた。平和な現代に戻った気がした。しばらくプノンペンを歩いた。すると、他の東南アジアの大都市のように高層ビルの建設ラッシュが続いていた。

建設会社名やビル名はほとんど中国語で書かれていた。新しくオープンしたホテルやレストランの看板も中国語が多い。計画中のモノレールもやはり中国の資金が大量

現在のプノンペン

に流れ込んでいる。

街歩きでは英語がよく通じる。ホテル、コンビニや飲食店、コーヒー店、タクシーやトゥクトゥクの運転手に至るまで、ある程度まで英語で意思疎通が可能だ。だから、コンビニの若い女性店員たちに中国語で話しかけられた時、思わず驚いてしまった。彼女たちの中国語は決して上手ではなく、しかもなぜか少し緊張していた。私を日本人だと知ると、いつものはにかんだ穏やかな笑顔で、独学で中国語を学んでいると教えてくれた。

市内には「和平書店」という書店ができ、店内には直輸入された中国語教材と習近平語録が大量に積まれていた。一方、クメール語の書物はほとんどなかった。

カンボジアは、昔も今も強大な中国の影響下にある。それが悪いとは言わないが、カンボジアの悲劇を引き起こしたのは、外国の私利私欲に翻弄されたからでもあった。二度とこの国の人々の笑顔を絶やさないためにも、他国に翻弄されない強靭な国となることを祈りたい。

もちろん、狂気の時代を生み出した責任はカンボジア自身にもある。一時期、たしかに多くの人がクメール・

プノンペンのモノレールプロジェクト

ルージュを支持したからである。そしてその背景には、フランス植民地時代から続いた差別や貧困、社会矛盾などが山積していた。これらがクメール・ルージュの栄養素となったことも忘れたくない。

FCCプノンペン
（FCC Phnom Penh）
行き方：国立博物館から徒歩5分。トンレサップ川沿いに建つ。ホテル併設。
住所：Preah Sisowath Quay, Phnom Penh
電話：023-210-142
https://www.fcccollection.com/phnom-penh/

コラム

ラオスの不発弾――COPEビジターセンターにて

今も残る戦争の傷跡

カンボジアの隣国ラオス。ヴェトナムやタイ、中国、ミャンマーとも国境を接し、海はなく、国土の大半は山岳地帯に覆われている。経済的には後発開発途上国だが、１９９５年にルアンパバーンの旧市街が世界遺産に登録されたことを機に観光産業が本格化した。それゆえに、２０２０年の新型コロナ肺炎はラオスにとって大きな痛手だ。

この国の発展を阻む要素は多い。とりわけ国土に散乱する不発弾は、今もラオスの人々を苦しめ続けている。

１９５４年、ラオスは、カンボジアやヴェトナムとともに、フランスからの独立を果たした。しかし、他の2国と同じく、独立後も平和とは無縁だった。ラオスでは左派のパテート・ラーオと王国政府が争い、アメリカやソ連、中国などがこの内戦に介入した。

内戦に大国が介入すると、戦禍はラオス人の意思をあざ笑うかのように拡大した。隣国ヴェトナムの戦争も飛び火した。

タート・ルアン　国章にも描かれているラオスのシンボル的寺院。高さ 45 メートルで、仏舎利が収められていると言われている。太陰暦 12 月（11 月頃）のタート・ルアン祭りでは、全国から僧侶が集まる。

北ヴェトナムが物資や人員輸送用の「ホーチミン・ルート」をラオス山岳地帯に設けたのである。

するど南ヴェトナムを支援するアメリカは、ホーチミン・ルートを激しく爆撃した。任務に当たったのは主に空軍だが、他にも海軍、海兵隊、陸軍の航空部隊も参加、エア・アメリカ（アメリカCIAがラオスにおいて秘密作戦を展開するために設けた航空会社）、さらにはタイや南ヴェトナム空軍も投入された。作戦回数は1964年から73年までの9年間で58万回、投下された爆弾の総トン数は200万トンを超えた。

この異常なまでに激しい空爆の痕は、今もラオス各地に残る。例えばジャール平原で有名なシェンクワーン周辺をGoogleマップで見ると、地表にクレーターのような爆撃の跡が無数に残っているのが分かるだろう。

クラスター爆弾の不発弾

アメリカ軍がラオスに投下したのはクラスター爆弾だった。内部に小さな爆弾（子弾）が何百と詰め込まれており、爆撃機から投下されると地表付近で広範囲にわたって子弾が広がった。子弾はテニスボールとほぼ同じ大きさの球体をしており、爆発するとさらに数百もの鉄球が飛び散った。非常に殺傷力が高い対人兵器である。

問題は、不発となった子弾である。不発弾率はおよそ30％、総数8000万発が今もラオス国土の至る所に埋もれている。ボンビー（bombies）と呼ばれるこれらの不発弾は、戦後しばらくはラオス軍が旧ソ連やキューバの援助を受けて処理を進めてきた。しかし、その成果は不明である。1996年にラオス政府が設立した「UXOラオ」（UXOとは不発弾のこと）は、1300人を有し、日本を含めた世界の政府やNGOとともに不発弾処理を実施してきた。これまで50万個を処分したが、ラオス全土に残る不発弾数から見ればまだ先は長い。

不発弾に脅かされる日常

不発弾処理は信じられないほどの時間と労力がかかる。1ヘクタールの広さを捜索するだけでも最低10日を要し、地形や草木によってはさらに日数がかかる。

不発弾の犠牲者数は2万人とも言われている。彼らは突然手足をもぎ取られた。例えば畑を耕している時、地中の不発弾を知らずに鍬を打ち込んだ農民、庭で火を付けた時に地中に埋もれていた不発弾を爆発させた主婦、草むらに足を踏み

COPE ビジターセンターの玄関。ヴィエンチャンは小さな街なので、トゥクトゥクに乗ってぜひ訪ねてほしい。日本も建設に援助した障害者用の体育館が隣接している。

入れて不発弾を踏んでしまった子供など、例を挙げるときりがない。大雨によって、これまで安全だった場所に不発弾が流れ着くこともある。ラオス内戦も隣国ヴェトナムの戦争も半世紀前に終結したが、ラオスの人々は今も不発弾によって命の危険にさらされ続けているのである。

不発弾の危険性を伝える教育も続けられている。それでも、換金目的で古い武器や爆弾片などの金属類を集めたり、魚を捕るために不発弾を川の中で爆発させようとして犠牲となる例もある。

たとえ命をとりとめても苦労は続く。手足の一部が欠けると、以前のようには畑仕事ができず、家族に負担をかけるとの負い目に苦しむ人も多いという。ファントム・ペイン（幻肢痛）によって精神的に衰弱する人も多い。すでに欠けてしまったはずの手足が痛み出すのである。

COPEビジター・センター

不発弾の爆発で体の一部を失った人たちには、義手や義足などの義肢（prosthesis）や、痛みの軽減や日常生活の補助装具（orthosis）が必要である。1997年に設立されたCOPEセンター（Cooperative Orthotic and Prosthetic Enterprise）

大量に展示されている使用済みの義手と義足。

は、ラオス国立医療リハビリテーションセンターや海外のＮＰＯとも連携し、補装具・矯正具の製造や製造技師を養成してきた。

２００７年、ＣＯＰＥセンターは、首都ヴィエンチャンにビジターセンターを開設した。ラオスの不発弾に関する広報活動の場である。展示室に入ると、クラスター爆弾から無数の子弾が散布される様子が展示されている。また、これまで使われてきた義足や義手が所狭しと並べられている。

ここを訪問する外国要人も多い。例えば２０１２年にはオバマ政権時の国務長官ヒラリー・クリントン、そして２０１６年９月にはオバマ本人が、アメリカの現職大統領としては初めてラオスを訪問し、このＣＯＰＥビジターセンターを訪れている。

オバマ大統領はここでスピーチをした。その中で、ヴェトナム戦争時のアメリカが、カンボジアやラオスでも軍事行動を展開したこと、アメリカ人は知らされていなかったが、第二次世界大戦でドイツや日本に落とした数をはるかに超える数の爆弾をラオスに落としたことについて触れた。

そして彼は次のように述べた。

COPE ビジターセンターに展示されているクラスター爆弾から拡散する子弾。気の遠くなる数と恐怖だ。

ラオスでは、クラスター爆弾の殻が植木鉢や水桶などに転用されているのをたまに見かける。

ラオスの人々にとっては、爆撃が終わっても戦争は終わっていなかった。８０００万ものクラスター爆弾が不発弾として残った。これらは農地やジャングル、村や川に散らばった。それから40年もの間、ラオスの人々は戦争の影の下で生きてきた。およそ2万人の人々が、不発弾によって殺され、負傷した。

そしてオバマは、不発弾処理や生存者のサポート、さらにはラオスの人々のために、援助を増額することを約束し、「アメリカ合衆国の大統領として、私たちは道義的及び人道的義務があると信じる」と述べ、「かつては敵と呼んだ人たち」と友情を築きたいと表明した。

日本とラオス

日本の官民も、ラオスの地雷除去や専門家の派遣、そして犠牲者の援助などを積極的に行ってきた。また、戦禍を逃れたラオスの人々は、難民として日本にも来た。このように、日本とラオスは、見えにくいがたしかな関係がある。

残念ながら、両国の間には直行便がなく、旅行先としてはまだマイナーだ。実は２０１９年11月に、ラオ航空が熊本とヴィエンチャン、及びルアンパバーンとの間に初となる直行便を就航させる予定だった。残念ながら、採算性に対する懸念で就航が延期され、さらに新型コロナ肺炎で立ち消えてしまった。

カンボジアと日本が初めて直行便が就航した（全日空の成田―プノンペン便）のも２０１６年9月とつい最近のことだった。これによってカンボジアと日本の交流が加速した。これに続いて、これからラオスとの関係が密になることを期待したい。

COPEビジターセンター
（Cooperative Orthotic & Prosthetic Enterprise, C/O Center of medical rehabilitation）
Khouvieng Road, P.O.BOX : 6652, Vientiane, Lao PDR
https://copelaos.org/

コラム

いちょう団地――インドシナ難民の安住の地

1970年代のインドシナ3国（ヴェトナム、ラオス、カンボジア）では、戦争や革命、そして虐殺によって、無数の命や財産、自由が奪われた。もちろん、そこに住む人たちは、座して死を待ったのではない。多くの人たちが生き抜くために故郷を離れた。彼らはインドシナ難民と呼ばれた。

老朽化した小型の木造漁船に限界まで乗り込み、転覆覚悟で荒海に乗り出し、悪天候や海賊の襲撃に怯えるボート・ピープルの姿は、当時のテレビニュースで覚えている人もいるだろう。彼らが日本に初めて到達したのは1975年のことだった。その後、日本は計1万1000人の難民を受け入れた。最大の受け入れ国はアメリカだった。

1979年11月、日本は難民事業本部を設けてインドシナ難民定住促進事業を始めた。そして兵庫県姫路市と神奈川県大和市に定住促進センターを設立し、日本語学習や職業訓練など、日本に住む手伝いをした。

神奈川県に来た難民の多くは、横浜市泉区と大和市にまた

県営いちょう団地　ヴェトナム、ラオス、カンボジアをはじめ、中国残留孤児の帰国者や南米出身者も多く住む。（神奈川県横浜市泉区上飯田町　最寄り駅　小田急江ノ島線高座渋谷駅）

がる県営いちょう団地に住んだ。来日当初は、文化も言葉も全く異なる中、想像を絶する苦労を重ね、隣接する米軍基地や工場などで働き、家族をもうけ、徐々に日本に生活基盤を築いた。

今、いちょう団地を訪ねると、東南アジアの食材店や食堂があり、掲示板もクメール語やヴェトナム語が用いられている。各種コミュニティ活動やイベントも盛んで、多文化共生のモデルと呼ばれることもある。

この大和市に隣接する藤沢市に住む私は、大学生となる数人の難民3世を知っている。彼らは難民1世の苦労をあまり知らないという。その理由を尋ねると、「祖父は孫の私にも話したくないほど辛い経験をしてきた」と教えてくれた。

彼らは日本で生まれ育った。ヴェトナム、ラオス、カンボジアを訪ね、祖父や祖母の故郷を見た若者もいる。彼らの感想はそれぞれだが、もうひとつの祖国に貢献したいという気持ちは共通している。ボート・ピープルとして日本に着いてから半世紀後の今、孫世代がインドシナ半島と日本を往来し、様々な分野で活躍する時代が来た。世界は確実に平和になった。

県営いちょう団地を歩くと、多くの国から来た人たちが一緒に住んでいることを実感する。

《カンボジア年表》

9世紀初頭	クメール王国の成立
12世紀前半	アンコール・ワット建立（16世紀にヒンドゥー教から仏教寺院へ）。
1863年	フランスと保護条約。
1887年	フランス領インドシナ連邦成立（カンボジアはフランスの植民地に）。
1941年	日本軍による南部仏印進駐開始（8月）。
1953年	フランスから独立、翌年カンボジア王国（シハヌーク国王）成立。
1970年	親米派ロン・ノル将軍がシハヌーク政権を打倒、クメール共和国樹立を宣言。 シハヌークに協力するクメール・ルージュとの間で内戦勃発。
1975年	クメール・ルージュが首都プノンペン占領（4月）、内戦に勝利。 ポル・ポト政権成立、国名が民主カンプチアに。
1978年	ヘン・サムリンをリーダーとするカンプチア救国民族統一戦線（KUFNS）、ヴェトナム軍の協力のもとでカンボジア侵攻（12月）。
1979年	KUFNSがプノンペン制圧、ポル・ポト政権崩壊（1月）。 親ヴェトナムのカンプチア人民共和国（ヘン・サムリン政権）成立。 中国のヴェトナム侵攻（2月）。 民主カンプチア三派連合（クメール・ルージュ、シアヌーク派、ソン・サン派）、ヘン・サムリン政権との間で内戦勃発。
1987年	パリにて両者会談。
1991年	カンボジア包括和平条件を定めたパリ協定成立。
1992年	国連カンボジア暫定機構（UNTAC）が活動開始。翌年、制憲議会選挙。
1993年	カンボジア王国（シアヌーク国王）成立。
1998年	ポル・ポト死亡。
2012年	カンボジア特別法廷、ドッチ（カン・ケク・イウ）に終身刑（2020年9月死亡）。

第２章　緑島という監獄島
── 台湾の白色テロ時代

緑島。左奥に監獄、中央に将軍岩と三峰石、遠くに台湾本島が見える。ここは太平洋に浮かぶ孤島。周囲は黒潮が激しく打ち寄せている。ここに流された囚人たちは、毎日、台湾本島の山を眺めて、そこに住む家族を想っただろう。

日本人に大人気の台湾。親切な人々、屋台グルメ、そして穏やかな街がつくる空気に惹かれるリピーターも多い。

しかし、そう遠くない過去、台湾は「白色恐怖（テロ）」（1947〜1991年）の時代にあった。人々は思想や言動を監視され、怪しまれると逮捕されて厳しく拷問された。冤罪は多く、台湾中に政治犯を収容する監獄ができた。特に太平洋に浮かぶ緑島には、白色恐怖期を代表する監獄があった。

白色恐怖が過ぎ去って30年が過ぎた。自由や民主主義は台湾にすっかり定着した。しかし人々は、過去の苦しみを決して忘れていない。

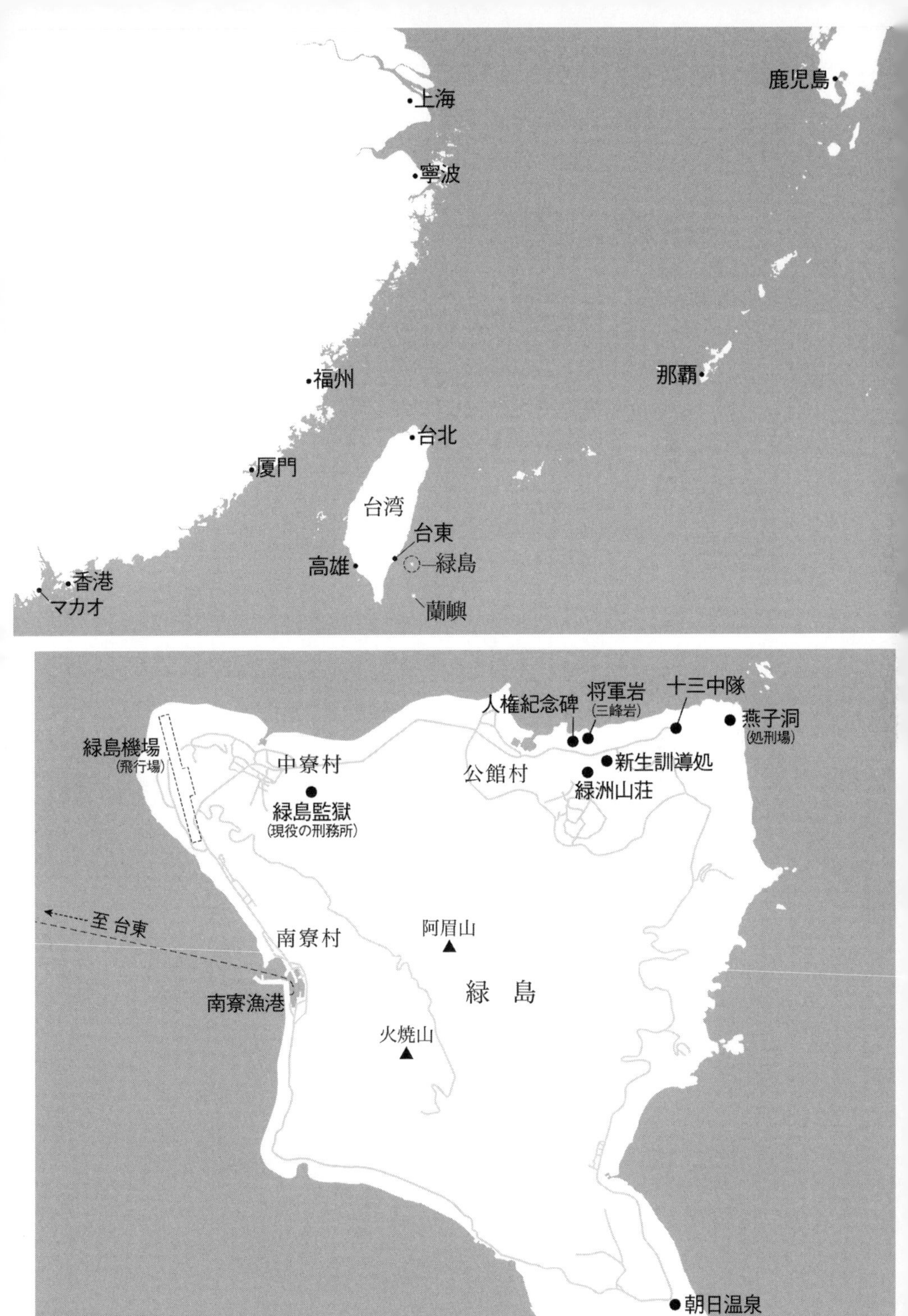

上海
寧波
鹿児島
福州
那覇
台北
厦門
台湾
台東
高雄
緑島
香港
マカオ
蘭嶼
人権紀念碑
将軍岩
(三峰岩)
十三中隊
燕子洞
(処刑場)
緑島機場
(飛行場)
中寮村
公館村
新生訓導処
緑洲山荘
緑島監獄
(現役の刑務所)
至 台東
阿眉山
南寮村
緑　島
南寮漁港
火焼山
朝日温泉

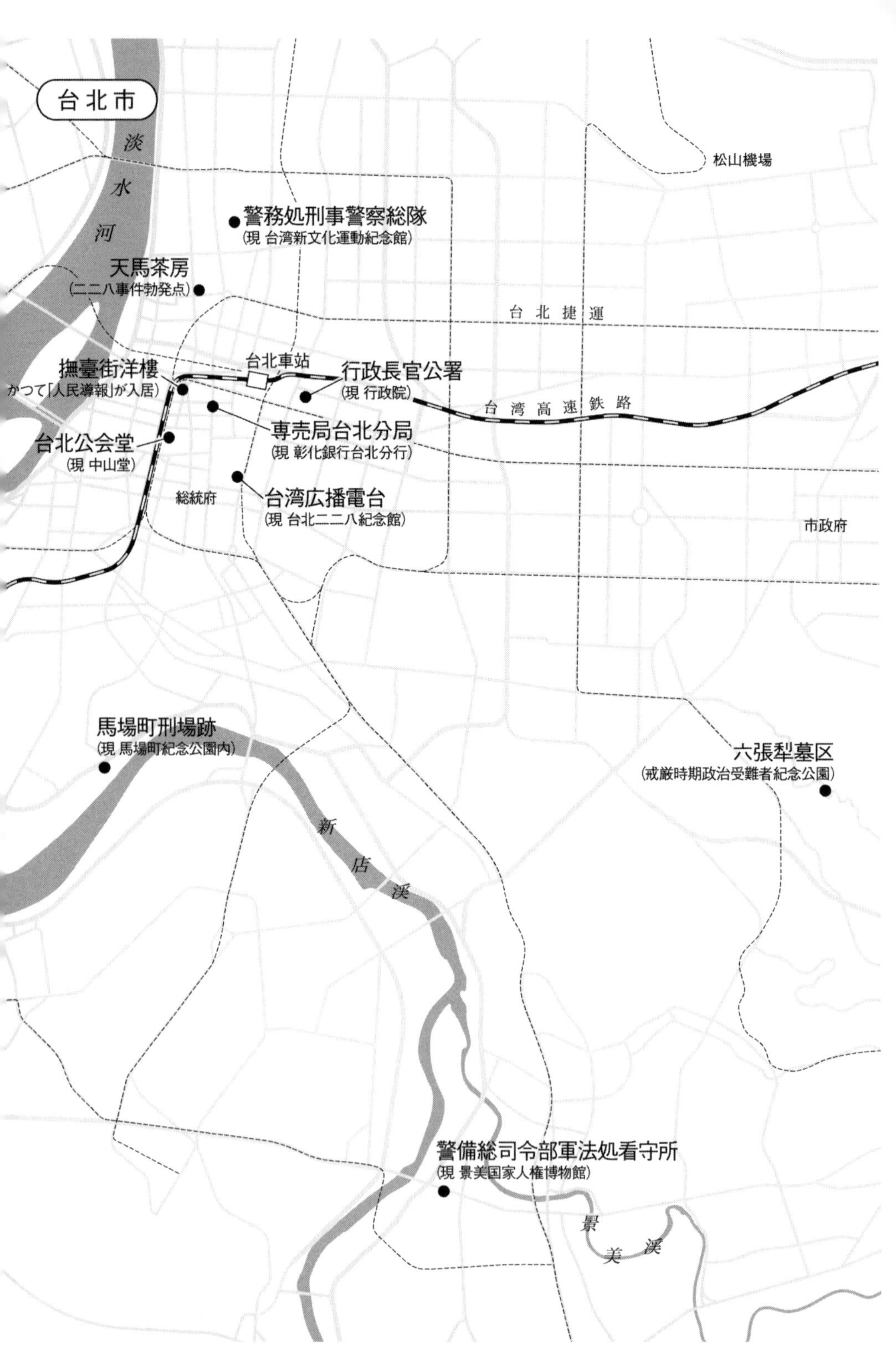
台北市
淡水河
松山機場
警務処刑事警察総隊
(現 台湾新文化運動紀念館)
天馬茶房
(二二八事件勃発点)
台北捷運
台北車站
撫臺街洋樓
かつて「人民導報」が入居
行政長官公署
(現 行政院)
台湾高速鉄路
専売局台北分局
(現 彰化銀行台北分行)
台北公会堂
(現 中山堂)
総統府
台湾広播電台
(現 台北二二八紀念館)
市政府
馬場町刑場跡
(現 馬場町紀念公園内)
六張犁墓区
(戒厳時期政治受難者紀念公園)
新店渓
警備総司令部軍法処看守所
(現 景美国家人権博物館)
景美渓

1　緑島を訪ねて

遠かった緑島

緑島は遠かった。日本から出発すると、どうしても当日中に到着することは難しい。緑島へのアクセスは対岸の台東からとなるが、日本からだと台東に辿り着くのも一苦労だ。もちろん日本からの直行便などはない。台北からだと特急列車に乗っても4時間近くかかる。しかし、台東には午前中に着いておかないと、緑島への船に間に合わない。台東から緑島までは空路もあるが、20人も乗れない小型のプロペラ機が1日にわずか3往復。予約も困難だ。

緑島が遠いと感じた理由は他にもあった。「緑島に行きたい」と言うと、「なんでそんなところに行きたいのだ」と怪訝な顔をする台湾人がひとりやふたりではなかったからである。特に年配の人は、緑島と聞くとすぐに白色恐怖の時代と結び付けた。自らが経験した暗い過去を語り出す人もいた。こうしたことが何度かあったので、気軽に「緑島に行きたい」と周囲に言うべきではないとためらった結果、訪問のタイミングもつかめないでいた。

ようやく緑島を訪ねたのは2019年の晩秋だった。台北に住む家族や親戚にはあえて伝えず、成田空港から直接高雄へと飛び、ホテルで一泊した翌日、早朝の特急で台東に向かった。台東駅からタクシーに乗ると、20分ほどで富岡漁港に到着した。ここから船で緑島に渡ることができる。

タクシーの運転手は、「港の近辺にはおいしい海鮮料理のお店が並んであるから船に乗る前に食べた方がい

シーズンオフでも多くの若者が緑島に向かう。台東・富岡漁港にて。

い」としきりに勧めてくれた。ちょうど昼食の時間だし、出航まで時間もあるので、ここは地元の人のアドバイスに従おうと思った。食事をする前に、まずは電話で予約したチケットの確保を先にしておこうと思い、漁港という響きからは想像できない立派なターミナルの中に入った。するとカウンターは閉まっており、誰もいなかった。「今日は船が動いていないのでは」と焦ってしまったが、よく見ると「現在食事中」と書かれた張り紙があった。

少し待つと係員が戻ってきたので安心した。係員の姿を見て、緑島に行く人たちも一斉に集まってきた。島民らしき人もいるが、大半は街中から来たような若者だった。今の若い台湾人にとって、緑島はもはや監獄島ではなく、キャンプやダイビングを楽しむリゾート・アイランドなのだ。私が緑島に行くことをどこか後ろめたく感じていたのは、普段接する台湾人が中年以上ばかりだからだ。

緑島もすっかり観光産業に頼っているようだ。聞くところによると、観光のオフシーズンには、3500人程度の島民のうち、なんと1000人近くが台湾本島に出稼ぎに向かうらしい。

この日は天気が良く、緑島がよく見えた。太平洋をまたいで33キロ、50分の船旅が始まった。高速船「緑島之星」が岸壁から離れて防波堤の外に出た。すると突然激しく揺れはじめ、太平洋に放り込まれたことが実感できた。黒潮を横切るので想像以上に揺れた。それでも「緑島之星」は容赦なく加速した。座っていても椅子から投げ飛ばされそうになり、必死で堪えるほどだった。にぎやかだった若者たちも無口になり、顔は青くなり、ビニール袋を次々と口に当てはじめた。船内には、どこに座っていても手を伸ばせば届く位置にゴミ箱が置かれていた。そこに使用済みのビニール袋がどんどんと投げ込まれていった。

それにしてもひどい揺れだった。私も我慢できずに、近くに座っていた島民らしき初老の女性に「こんなにスピードを出さなくてもいいのに！」と言ってみた。すると、「船はゆっくり進んでも揺れる、速くても揺れる、だったら早く島に着いた方がいい」と言われてしまった。富岡漁港で魚を食べないで良かった。これから緑島を訪ねる人は、胃を空にして乗船したほうがいい。そうでなければ、船の中で胃を空にさせられてしまう。新鮮な魚は緑島に着いてからでも食べることができる。

柯旗化と『台湾監獄島』

船酔いを避けるため、目を閉じて呼吸を整えた。少し落ち着くと、ふと柯旗化（1929～2002年）のことを思い出した。彼には『台湾監獄島』という著作がある。今回、緑島を訪ねるため、改めて読み直してきた。

柯旗化は、日本統治時代に高雄で生まれた英語教師だった。1960年に『新英文法』という参考書を執筆すると、大変な人気となり、何度も増刷され、今でも書店の参考書コーナーに並ぶほどのロングセラーとなった。親子2代で『新英文法』を使ったという人も多く、台湾ではかなり知られている。

しかし、柯旗化が政治犯として2度も逮捕されたことは台湾でもあまり知られていないようだ。しかも彼は2回とも緑島に収監されていた。台湾の白色恐怖時代の犠牲者であったのだ。逮捕の理由をはじめ、柯旗化が味わった苦難は『台湾監獄島』に生々しく描かれている。

柯旗化の逮捕

柯旗化が最初に逮捕されたのは1951年7月31日だった。深夜1時頃、高雄市左営区の蓮池潭近くにある自宅で本を読んでいた。すると突然扉を叩く音がした。玄関を開けると、特務と警官、里長（町内会長）が立っていた。彼らは靴を脱がずに家に入り、2時間ほど部屋を捜索し、「聞きたいことがある」と言って柯旗化をジープに乗せ、手錠をかけた。そして台北に連れて行き、半年間の尋問と拷問の末、緑島に投げ込んだ。

逮捕の理由は、ある外省人（日本統治が終わった戦後に中国大陸からやってきた中国人のこと）少年の発言だった。その少年は、共産主義を賛美する詩集を持参していたとして逮捕された。共産主義はこの時代の台湾では重罪である。さらに尋問中に「学校の先生はみんな共産党に加入している」と言い放った。根拠など何もなく、ただ警察を驚かせようとしたらしい。それでも、この一言の破壊力はすさまじく、少年に関係する小学校の教師は一斉に捕まった。

逮捕された中に陳文波という教師がいた。彼は他の教師と同様、なぜ自分が逮捕されたのか全く分からなかった。身に覚えがないので尋問されても何も答えることができない。すると取調官は、「無実だと言うのなら、無実を証明できる友人を教えろ」と迫った。そこで柯旗化の名前を出した。2人は中学校の同級生だった。

しかし警察は、柯旗化を証人として扱うのではなく、共犯者として逮捕した。そして「陳文波は共産党に加入しており、お前も組織の一員だったと自白している。正直に白状しろ」と責めた。道理などまったくない、荒々しい誘導尋問だった。

さらに警察は、柯旗化が師範学院に在学中、合唱団でソ連の「祖国行進曲」を歌っていたことを知った。また、彼の部屋から唯物弁証法（共産主義の理論）の本を見つけた。こうして、柯旗化は共産主義の信奉者だということにされてしまった。

取り調べは台北に場所を移して半年間続けられた。その結果、なんとか有罪判決は免れた。しかし、思想が左傾化しているということで、「思想感化訓練」（思想改造）を受けることになり、放り込まれたのが緑島だった。思想改造は当初は3か月ほどと言われたが、結果として、逮捕から釈放まで1年8か月もの貴重な人生の時間を磨り潰されてしまった。

次の逮捕は1961年10月4日だった。『新英文法』がベストセラーになったのを機に教師を辞め、「第一出版社」を創業した直後だった。出版社で作業中、やはり前触れもなく派出所長が私服の男と一緒にやってきて、「ちょっと聞きたいことがある」とジープに乗せた。

逮捕の引き金になったのは、柯旗化の弟の友人Uが書いた自白書だった。やはりUも逮捕されており、釈放されたいために特務の言うとおりの自白をしたのだった。そこには柯旗化が台湾の共産党組織に属しており、政府を転覆させ、台湾独立のクーデターを企んでいると書かれてあった。

数年前、私はこのUの兄と話をする機会があった。彼も冤罪で逮捕されていた。Uは、柯旗化の運命を暗転させる自白書を書いてしまったことに苦しんでいたという。今ではすでに鬼籍に入っている。

特務は、柯旗化はかつて緑島に収容させられたのであり、この時の恨みが国家に反逆する動機であると言い放った。本人も考えつかないことだった。とにかく、何が何でも逮捕しようとしたのである。Uの自白書には書かれていない罪もでっち上げてきた。例えば、柯旗化が高雄市内のホテルで他人に窃盗を指示した容疑である。しかし、警察が名指ししたホテルは実在すらしていなかった。こうした恣意的で乱暴な取り調べの結果、柯旗化は15年間も自由を奪われた。

『台湾監獄島』には、理不尽な取り調べや冤罪が作られていく過程が生々しい。本書を読んでいて特に辛くなるのは、冤罪で家族から引き離される時の残酷な光景である。例えば初めて緑島に連行される途中、柯旗化が乗せられた汽車が故郷の左営駅で一時停車した。すぐ近くに実家があり、車窓からはかつて通った小学校が見えた。この時、窓から飛び降りて実家に駆け込みたい衝動を必死で押さえたという。

緑島に到着した高速船「緑島之星」。

柯旗化のような悲劇は、白色恐怖期の台湾にどれほどあったのだろう。彼と同じように、無数の人が冤罪で捕まり、いつ帰れるかすら知らされずに、船に乗せられ、激しい黒潮に翻弄されながら緑島に上陸したのだろう。

緑島に到着

高速船がようやく緑島の港に入った。乗客たちが足元をふらつかせつつも出口に殺到したのは、早く新鮮な空気を吸って船酔いから解放されたいからだ。

緑島に降り立つと、風も日差しも台東より一段と強かった。1時間程度の船旅だが遠くまで来た気がした。日本を出てからここまで2日もかかった。

旅館の主人が港で待ってくれていた。島のメインストリートには「牢飯」という食堂や「緑島監獄冰」というアイスクリーム屋があった。白色恐怖はすっかり今では観光資源となったのだろう。台湾に平和が訪れた証拠なのだが、納得できない人がいても当然だろう。

旅館は緑島飛行場のすぐ隣だった。部屋で少し休んだ

港の近くに並ぶレンタル用のスクーター。観光シーズンのピーク時でも大丈夫。

後、島内探索に出かけた。旅館で電動スクーターを借りた。フル充電で40キロ走行が可能だ。念のため島内の充電スポットを尋ねると、「緑島は一周20キロなので途中で充電する必要はないよ」と言われた。

緑島の周回道路を時計回りで走りだした。11月とは思えない強烈な日差しを浴びながら小さな集落を抜け、左側に太平洋が広がった頃、右手に「法務部矯正署緑島監獄」という現役の刑務所があった。ウェブサイトを見ると「管理や教育が困難な受刑者」、つまり凶悪犯や常習犯が集められているとのことだった。緑島は今でも監獄島としての役割を負わされているのだ。

海沿いの道には民宿や食堂、そしてダイビングショップなどが点在している。緑島特産の鹿肉屋もあった。店頭には生きた鹿が繋がれていた。ペットなのか加工前の商品なのかは分からない。

公館漁港を過ぎ去ると「緑島人権公園」が視界に入ってきた。太平洋の絶景を見渡す場所に整備された美しい広場だった。さらに先を見ると、道に沿って古い塀が伸びていた。白色恐怖時代を象徴する監獄の塀であった。

白色恐怖時代の台湾

白色恐怖期とは、一般的には1947年の二二八事件から1991年の反乱条例廃止までの時期を指す。しかし台湾人は、「戒厳令」という言葉をより頻繁に用いる。戒厳令とは、内乱やテロなどの非常事態が発生した際にあらゆる権限を軍隊に集中させることで、台湾では1949年から1987年まで続いた。この2つの用語は、厳密には意味が異なるが、いずれも思想や信条の自由がなく、人権が無視され、人々が政治犯とされた時代を指すことで共通している。

台湾の支配者だった中華民国・国民党政府が特に目を光らせたのは共産主義思想だった。中国共産党に敗れて中国大陸から追放された国民党にとって、敵の思想が台湾へ流入することは何としても避けたかったからだ。

国民党を追い出した中国共産党は、1949年に中華人民共和国を建国し、祖国統一を掲げて台湾を睨み続けた。一方の国民党政府は、「共産党を打倒せよ」（「打倒共匪」）や「中国大陸を取り戻せ」（「反抗大陸」）を叫んで台湾から大陸を睨み返した。これらのスローガンは台湾の街のあらゆる場所に掲示され、学校では毎日復唱させられた。今の中年以上の台湾人ならよく覚えているはずだ。

台湾独立（台独）の訴えも、国民党政府は危険思想として目を光らせた。中国大陸を失い、台湾と大陸沿岸部のいくつかの小島を支配するにすぎない中華民国にとって、台湾独立論は中華民国そのものを葬り去る破壊力があった。

白色恐怖期の台湾では、たとえこれらの思想を信奉していなくても、決して安心できなかった。怪しい人物や情報を知っておきながら通報を怠たると、「知情不報」という罪に問われたからだ。

密告者には、褒美として「犯罪者」の財産の一部が分け与えられることがあった。そのためもあり、密告が横行した。こうなると、人々は他人に心を許すことができなくなる。相互に警戒し合い、本音を言わなくなる。特に政治に関しては無関心を装い、不用意な発言を避けた。今でも、政治的な意見を述べることをためらう高齢者は意外と多い。この時代の恐怖がまだ染みついているのだ。

政治犯にされる恐怖

そもそも、人の心の中を他人が覗くことはできない。共産主義や台独論を支持していたり、政府に不満を抱いていたとしても、何らかの行動で表現しない限り、心の中は外部からは見えないのであり、黙っていれば逮捕されることなどあり得ない。今の私たちならこのように考える。

しかし、この常識は通用しなかった。他人が密告すれば警察は逮捕した。信憑性など二の次だった。捕えられた人は窮地に追い込まれた。思想や信条を警察に見せることなどできないからだ。自分が危険思想の持ち主でないと証明することは不可能に近い。つまり、いったん疑念を抱かれたら逃げる術がない。

たとえ政府が禁じる思想を抱いていなくても、脅しや拷問によって「自白」を強制されることもあった。「罪を認めるまで拘束する。罪を認めたら直ちに自由にしてやる」と言われた人は実に多い。そのため、全く心当たりがなくとも、自由になりたくて罪を自白してしまう。すると、もう帰れなかった。

自白は有力な証拠として扱われた。内容が真実かどうかは重要ではなかった。重要なのは容疑者が罪を「自白」することであった。冤罪はこうして増えていった。

当時の警察や憲兵（警備総司令部）は「1人の犯罪者を逃すぐらいならば、冤罪の100人を処刑する方がよい」という信条を忠実に実践した。国家にとって危険な人物を捕まえるためなら、善良な市民の人生を踏み潰すことなど訳なかった。

白色恐怖の時代には、こうした理不尽が横行した。実に多くの人が苦しんだ。心に付けられた傷は、たとえ長い年月が経っても治らず、今も苦しむ人がいる。このことを台湾で何度か痛感させられた。

今も鮮明に覚えているのは、高雄市郊外に住むYさん（1930年生まれ）だ。彼は1960年代に逮捕された。夜中に玄関がノックされ、外には役場の友人と警察官の友人、そして初めて見る人物が立っていた。「話がある」

と言われて車に乗せられ、手錠をかけられ、そのまま台北で2年間も拘留された。先に捕まった友人がYさんの名前を出したことが逮捕の理由だった。この時、Yさんの妻は妊娠していたが、夫の逮捕がショックで流産してしまった。

数年前、高雄郊外のYさん宅を訪問した時のことだった。この時、ちょうどY夫妻の娘家族が日本に旅行中だった。談笑中、日本から連絡があった。台風接近で飛行機が欠航し、帰国日が延期したという知らせだった。

これを聞いたYさんの妻の顔から血の気が引いた。そして泣き始めた。台風で飛行機が飛ばなくなることはよくあるし、旅程の変更は安全のためなので心配する必要は全くない。しかし動悸が続いた。90歳近くの老女が苦しむ姿は見ていて辛かった。少し落ち着くと、「娘に関することは、たとえ小さなことでも、流産の時に味わった得体の知れない恐怖を思い出して心が苦しくなる」と教えてくれた。心の傷は50年以上経っても生々しく疼くのだ。

「新生」と「感訓」

人権紀念公園は海が見える絶景地にあった。東側には円錐状の「将軍岩」や「三峰石」が海の上に屹立していた。このダイナミックな自然の造形はたしかに美しい。しかし、受刑者の回想録に必ず登場する光景でもあったため、その美しさを堪能する気にはなれなかった。道の脇の大きな岩山は表面が平らに削られ、その上に「緑洲山荘」と大きく彫られていた。

白色恐怖時代の緑島には、時代によって2つの監獄があった。緑洲山荘は後期の「国防部緑島感訓監獄」（1972年～1987年）の通称だった。一方、前期の監獄は「新生訓導処」（1951年～1970年）といった。

台湾の老人にこの時代の話を伺うと、「新生」や「感訓」という言葉がよく出てくる。新生とは文字通り新しく生まれ変わること、また新しく生まれ変わった人のことを、そして感訓（「感化教訓」の略）とは思想を矯正することを意味する。「訓導」もほぼ同じ意味である。これらの言葉が示すとおり、緑島の監獄は、政治犯の思想改造を担う教育の場とされていた。

ここに収容された人たちは、定期的に思想改造の成果を測定された。例えば新生訓導処では試験が3か月に1度あった。試験のできが悪いと、たとえ刑期満了日が来ても、「思想改造が不十分」と判定されて釈放は取り消された。当然ながら、試験といっても客観的な判定などされなかったに違いない。つまり、刑期はあってないようなものであった。

「緑洲山荘」と彫られた岩

柯旗化もこの被害者だった。2度目の緑島抑留は1973年10月に刑期が終わるはずだった。しかし、直前の試験で思想改造が不十分と判定され、引き続き「新生感訓隊」に入れられた。その後も不合格が続き、ようやく釈放された時は当初の刑期満了日から3年も過ぎた後だった。

辛いのは家族だった。刑期満了通知を受け取った柯旗化の母と妻は、高雄からはるばる荒波を越えて緑島まで迎えに来た。しかし柯旗化は釈放されず、面会すら許されなかった。必死で懇願すると、50メートルほど離れた場所からお互いの姿を見ることまでは許可が下りたが、残酷なことに会話することは禁じられた。夫の釈放を信じて迎えに来た妻は、心をへし折られたかのように、緑島から離れる船上から何度も海に飛び込もうとした。義母は「子供たちのためにも頑張れ」と必死で励ました。

柯旗化が妻と母に無言の別れを告げたのは、ちょうど「緑洲山荘」と刻まれた岩山の前あたりだろう。私もこの場所に立ってみた。天気が良く、将軍岩や三峰石の

緑洲山荘の獄舎「八卦楼」

人権紀念公園から見た三峰石

万里の長城と呼ばれた塀。1950年代初頭、受刑者たちが造った。

隙間から、台湾本島の高い山並みが遠くに見えた。囚人たちもここに立ち、台湾本島を眺め、そこに住む家族を想ったに違いない。同時に、目の前の太平洋を見て落胆したはずだ。緑島が絶海の孤島であることを改めて痛感し、閉塞感に胸を詰まらせたであろう。

「万里の長城」

緑洲山荘の獄舎は「八卦楼」と呼ばれている。建物はX字状になっており、中央に立つと獄舎の隅々まで見渡せるようになっている。今は内部が見学でき、展示や解説もある。

しかし、私が訪ねた時は、臨時の休館日だった。近づくと警備員が立ち去るように大声で言ってきた。この時、私は正直助かったと思った。同じく白色恐怖時代の政治犯収容施設に景美の「警備総司令部軍法処看守所」(現在は「景美国家人権博物館」)がある。ここを訪ねた時、囚人たちの恨みが時が過ぎても残っていたのか、足が金縛りにあったように動かなくなった。あの恐怖を再び味

「光復大陸」など当時のスローガンが残る塀が続く。

わいたくなかったからだ。

緑洲山荘の前は、道路沿いに、政治スローガンが大きく刻まれたコンクリート塀が続いている。よく見ると、比較的新しい塀の間に、かなり古い石垣が混じっていた。これは、1950年代初めに築かれた壁であった。

緑島に新生訓導処が設立された当初は、周囲に鉄条網が張り巡らされただけだった。そのため、本格的な塀の構築が囚人に命じられた。緑島の珊瑚岩や火成岩を集めて積み上げることで築かれた塀は完成時には1・6キロも延びていた。しかし今では、わずか60メートルが残るのみである。

塀が築かれたのは外敵の侵入を防ぐためではない。囚人の逃亡防止が目的だった。つまり、囚人たちは自分を封じ込める塀を築いたのだった。もっとも、塀は必要なかった。太平洋の孤島から逃げることなど不可能だからだ。囚人はこの塀を「万里の長城」と名付けた。私の勝手な想像だが、大陸の万里の長城と同じく、どちらも無益で無用という皮肉が込められているように思う。

外塀沿いに残る堡塁。

堡塁（ピルボックス）

外塀沿いに古い堡塁（ピルボックス）があった。中に兵士が立てこもって反撃するトーチカである。爆弾や銃弾から身を守るため、堡塁は非常に頑丈なコンクリートで造られている。あまりにも頑丈なため解体は困難であり、使われずに放置されている古い堡塁は台湾各地でよく見かける。

緑島にも多く堡塁が残る。しかし、収容所前の堡塁は、本来とは異なる使われ方をした。中に入ったのは兵士ではなく囚人だった。つまり懲罰房として用いられた。

円錐形の堡塁は、外観では直径2メートルほどあった。しかし、砲弾に耐える分厚いコンクリート製のため、内部は非常に狭い。しかも熱い。緑島は熱帯に属するため、炎天下となると、命が危険になる。

実際に堡塁に投げ込まれた人の証言（曹朝蘇）によると、日中は寝ることが許されなかった。眠気が襲い、体が横に倒れると、外に立つ監視員が窓から手を入れて木のムチで叩いた。しかし、天井が低くて真っ直ぐ立てな

堡塁。中は想像以上に狭く息苦しい。

新生訓導処の残滓。

い。夜になり、睡眠が許されても、足を伸ばして横になれるほど広くない。
　半年以上閉じ込められた囚人もいた。孤独、暑さ、狭さ、そして睡眠不足で体と心が極限まで疲弊したはずだ。中を覗くと、外見から想像するよりもはるかに狭かった。分厚いコンクリートに圧死させられそうな閉塞感が漂っており、堡塁の中には一歩も入れなかった。

新生訓導処での生活と学習内容

塀に沿ってさらに東側に進むと新生訓導処の跡地に出た。ほとんどの建物は失われているが、見学者用の展示室や、復元された第3大隊の居住区から、当時の様子が想像できる。

　新生訓導処には3個大隊があった。1大隊は4中隊で構成されていた。したがって、全部で12中隊を数えた。1中隊は120～160人ほどで、女子の中隊もあった。

　柯旗化が最初に緑島に収容された時は第1大隊第1中隊に配置された。第1中隊と第2中隊は「無罪感訓」の

人たちであった。無罪感訓とは、有罪には至らないが、思想に問題がある人たちを教育することである。逆に言えば、彼らは無罪とされたのに緑島まで連れてこられたことになる。時代の狂気を思わざるを得ない。

新生と呼ばれた囚人たちは、規則正しい生活を求められた。朝、起床して集合すると、点呼に続いて国歌と「新生の歌」、スローガン復唱、そして精神訓話と続いた。夜も訓話の後、全員で「反抗大陸、保衛大台湾」を唱えて軍歌を歌った。

日中には労働と学習が課せられた。当初は1日を2分割して労働と学習に充てたが、後に1日学習、1日労働に改められた。

学習内容は、中華民国の歴史や国民党の政治思想だった。例えば国父（孫文）思想、蒋介石の訓話（「領袖言行」）、中華民国憲法などである。思想教育の一環として演劇も組み込まれた。テーマは反共主義であった。台本、役者、小道具など、すべて囚人が自作した。こうして蒋介石を信奉し、国民党に忠誠を誓い、共産党を批判する精神が叩き込まれた。

また、日本の中国侵略史、中国近代史、革命史なども教えられた。「中国人」としての自覚を植え付けることが目的だった。囚人の多くは、かつて日本統治下を生きた本省人であった。日本人の教育を受け、日本語も堪能であった。高等教育を受けたエリートも多かった。国民党は彼らを「日本の奴隷」と軽蔑し、中国人意識を叩き込もうとした。

労働も思想改造の手段という位置づけだった。つまり、決して懲罰や労役ではなく、「労働服務」（労働サービス）であった。具体的には塀（「万里の長城」）や建物の建築、運動場の整備、道路や水道整備などの土木工事などであった。工事用の重機などない緑島では、石を手作業で切り出してモッコで担ぐなど、すべてが人力であった。長い夏は灼熱の太陽が照りつけた。労働中に倒れる者も多くいた。

柯旗化と泰源監獄

柯旗化の話に戻るが、彼は1度目の緑島拘留から釈放されると高雄に戻り、結婚して子供に恵まれた。また、米軍の通訳としても活躍し、多くのアメリカ人と交流した。１９６０年に出版した『新英文法』がベストセラーになると、執筆と出版に専念するため教師を辞めて「第一出版社」を創立した。幸せな家庭を築き、持てる能力を発揮し、広く社交する充実した人生が軌道に乗り始めた。

しかし、またも逮捕された。１９６１年だった。収監されたのは台東県北部の山中にある泰源監獄だった。緑島の新生訓導処は閉鎖されていた。共産党軍の脅威が緑島に迫ってきたからだといわれている。

泰源監獄では時間を見つけて執筆に打ち込んだ。そして、１９６４年に『新英文法』改訂版を、１９６５年に増補改訂版を出版した。おそらくは、貴重な人生を浪費させる監獄生活に少しでも意義を与えようとしたのだろう。著作を通じて社会との接点を保ち続けようとしたのかもしれない。

家族には常に手紙を書いた。幼い末娘には「パパは仕事でアメリカに行っている」と伝えたが、ある時、末娘は父から届く手紙の消印が台東であることに気づき、結

柯旗化故居。表には「第一出版社」の看板が立つ。
（高雄市新興区八徳二路 37 号　電話 07-5312560）

明兒：
芳兒：
你們寄來的信收到了，謝謝你們。爸爸很愛你們，
爸爸因為工作忙，現在還不能回家，再過幾個月，把
工作繼續做完了，就可以回家了。你們都很用功，爸爸
很高興。你們兩個的字都寫得很好。爸爸回家以
後，請你們唱歌給爸爸聽。華華會不會唱歌？
要好好聽媽媽的話。聖誕節和新年快到了，祝
你們快樂
爸爸
五十三年十二月十日

柯旗化が泰源監獄から娘に書いた手紙。「パパは仕事でしばらく帰れない」「帰ったらパパに歌を歌ってほしい」などと書かれている。

局は真実を伝えなければならなかった。

1970年2月、泰源監獄に収容されている台独派6人が脱走した（泰源事件）。台東の放送局などを占拠して、反乱を引き起こすことが目的だった。実行日は監獄の係員が正月気分で警戒が緩む初三（旧暦正月3日）を狙った。

しかし6人は捕まり、5人が死刑、1人が15年の懲役となった。この事件の余波で、再び太平洋の彼方に浮かぶ緑島に政治犯収容所が設けられた。事件から2年が経った1972年4月、柯旗化を含む泰源監獄の受刑者

13 中隊。昼でも陰鬱な場所にある。

全員は緑島に送られ、新設された緑洲山荘に収監された。

13中隊

すでに触れたことだが、新生訓導処には12個の中隊があった。しかし、緑島には「13中隊」への道を示す案内板が立っていた。

案内板の矢印に従って進むと、新生訓導処の跡地の外側を、海に沿って東に向かった。しばらくすると、道から舗装が消えて砂利道となった。道の左右に覆い繁る草は次第に高くなり、やがて私の背丈より高くなった。心細くなってきた頃、狭い広場に出た。一部は海に面しているが、背後には断崖のような急斜面が迫っていた。上空には青空が広がるが、太陽の光は差し込んでこない。急斜面を見ると、刻まれた文字が読めなくなるほど風化した古い墓が埋もれていた。いずれも海を臨んでいた。現在、およそ30基の墓石が確認できるという。ここが13中隊であった。

墓石の下で眠るのは外省人（中国大陸出身者）の囚人

が多いようだ。本省人（台湾人）が亡くなった場合は、台湾に住む家族が引き取りに来たが、家族を中国大陸に残した外省人には遺体の引き取り手がいなかった。そもそも大陸の家族に最期を伝えることすらできなかったであろう。

死因は、病気や事故のほかに、拷問、精神疾患、そして自殺があった。生き抜くには強靭な肉体が必要だが、病気やケガは人を選ばない。たとえ肉体が強くても、心を制御できるとは限らない。刑期が簡単に無視されるなど、精神的にも過酷な緑島では、運も必要だが、誰もが運に恵まれるはずはない。

墓地を13中隊と呼んだのは、やはり同じ囚人のようだ。生死の境は曖昧で、死んでも所属中隊が変わるだけという感覚があったのだろう。命運が尽き、あるいは自ら命を絶った仲間を見て、次は自分の番だと思ったのだろうか。

柯旗化は釈放後に詩を創作した。まだ言論の自由はなかったが、詩なら自分の想いを表現できると思ったのだろう。彼の「燃えよ、火焼島」（1988年9月）という詩には13中隊が登場する。火焼島とは緑島の古い呼び名である。その一部を紹介したい。

島の北端の　丘の麓にある政治犯墓地
この世の地獄の苦しみを嘗め尽し
恨を飲んで死んだ獄友が
寂しくここに眠っている
暴政にあえぐ同胞を救う為
尊い命を捧げた友よ
今は人々に忘れられ
その孤独な魂は怒涛と化して
昼は海に咆哮し
夜は浜辺で号泣する

看守の目を盗んで
墓地の傍で
暫し肩のもっこをおろして佇み
死んだ獄友に向い
頭を下げて黙祷する

西の方眺めれば
荒波吼える海の遥か彼方に
台湾の山々が私を呼んでいる

牢獄と労働キャンプを
転々として既に十四年
来る年も来る年も
空しく素通りして
懐しいわが家に
何時帰れるというあてもなく
長年絶えずさいなまれて
疲れ果てたこの身は
いつまで生きて居れるやら
小声で妻子の名呼べば
いつか目がうるむ

だがもう一人の私が
わが身を鞭打っている

たとえ力尽きて倒れようとも
私は依然として元の私であり
真理はどこまでも真理である

燃えよ火焼島
長い年月抑えられて来た
台湾人の怒りは
いつか火を吹いて
腐敗したものをきっとみな
焼き尽くしてしまうだろう

（柯旗化『母親的悲願』高雄、第一出版社、1990年）

囚人とされた人たちには本省人も外省人もいた。台独派も共産主義者もいた。政治思想に関係のない人も多くいた。彼らの間には争いが絶えなかった。柯旗化も何度も殴り合いの喧嘩をした。しかし、たとえ出自や思想が異なっても、国民党政府の犠牲者という点では同じ不幸を背負う仲間だという意識がどこかにあったのかもしれない。柯旗化の詩からそのように感じた。

人権紀念碑

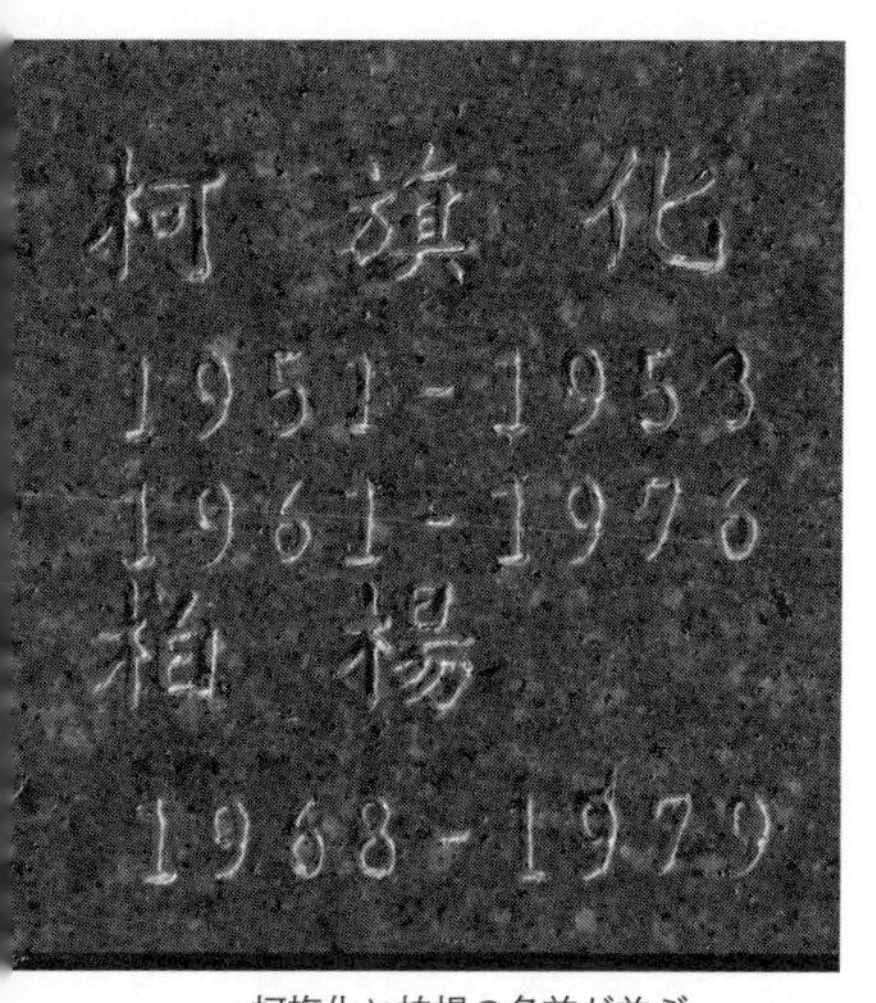

柯旗化と柏楊の名前が並ぶ。

人権紀念碑から見えてくる戦後台湾

緑洲山荘正門近くの人権紀念公園は太平洋を望む絶景の地にあった。手入れが行き届いた芝生が広がり、人権紀念碑が太陽の光を浴びて輝いていた。そこには緑島に収監された513人の名前と刑期が刻まれていた。今後、調査が進むことによって犠牲者の名前はさらに加えられるだろう。柯旗化の名前もあった。銃殺刑に遭った犠牲者名も並んでいた。

この碑に刻まれた名前を見ると、まさに台湾現代史を描いているようだった。例えば作家の柏楊（1920～2008年）。名前の下には「1968―1979」とあった。彼の『醜い中国人 なぜ、アメリカ人・日本人に学ばないのか』（光文社、1988年）は日本でも広く読まれた。

柏楊の逮捕は『中華日報』に連載したアメリカのアニメ「ポパイ」の翻訳が原因だった。1968年1月2日の紙面である。ポパイが無人島を購入して息子の前で演説するシーンがあるが、その台詞にある「フェロー」を、柏楊は「全国の軍人と民間人の同胞たち」（全国軍民同胞們）と翻訳した。これは蒋介石が演説で用いるフレーズと同じだということで、国家元首を侮辱した罪に問われたのであった。

「ポパイたちは順番に無人島の大統領となった」という箇所も問題となった。ちょうど蒋介石が息子の蒋経国に権力を移行していた時期だった。蒋介石本人が不快に思ったのか、周囲が忖度したかは分からないが、柏楊は軍事裁判に立たされた。

そもそも民間人が軍事法廷に立たされること自体が理不尽だが、戒厳令がこれを可能とした。検察は柏楊に死刑を求刑したが、禁固12年の判決となり、1971年に緑洲山荘に収監された。

1975年に蒋介石が世を去ると、蒋経国は政治犯に特赦を与えた。柏楊の刑期も8年に短縮された。しかし、刑期満了の1976年が来ても釈放されなかった。例によって、思想改造の成果が見られないという理由で拘束が1年延長されたのであった。

釈放後、柏楊はアムネスティ・インターナショナル中華民国総会の創設に尽力し、1994年に初代会長に就任した。こうして、台湾の人権状況を改善する最前線に立った。

民主政治を導いた政治家

人権紀念碑には有名な政治家の名前も多い。例えば2006年から2018年まで高雄市長を勤め、2018年には祭英文総統の秘書官長に転じた陳菊（1950年～）の名前もあった。名前の下には「1979―

1986」と刻まれている。日本アニメ「あたしンち」に出てくる母（台湾では「花媽」）に似ていることから「花媽」と呼ばれ、多くの台湾人に愛されている政治家である。

陳菊も白色恐怖時代には命を賭して政治的自由を求めた闘士であり、1979年には高雄で発生した「美麗島事件」に参加した。これは、政治の自由化を求めた「党外」（国民党ではないこと）の人々が、世界人権デーの1979年12月10日にデモ行進を行い、治安当局に鎮圧された事件である。

陳菊の名前と刑期

緑島に放り込まれた美麗島事件の関係者は多い。例えば台湾独立を主張して1964年に逮捕され、泰源監獄を経て緑洲山荘に収監された施明徳（1941年～）は、1977年の釈放後も政治の自由を訴え続け、美麗島事件で再び捕まり、ついに死刑を宣告された。しかし、この判決にはさすがに国際的な批判が高まったため、無期懲役に減刑された。そして、景美軍法看守処に収監された。ここでは、政府に抗議するために命を削って断食を続けた。

1990年に李登輝が総統に就任すると、美麗島事件の関係者はすべて無罪となった。すると施明徳は渡米してアメリカ議会で演説した。その後は立法委員として活躍し、1994年には民進党党首に就任している。

緑島に収容された政治犯を紹介するだけでも、台湾戦後史として一冊の本が書けそうだ。紹介したい人はまだまだいる。例えば日本統治時代に東京帝国大学を卒業し、台湾総督府に勤務した黃紀男（1915年～2003年）。彼の名前の下には「1950－1958」「1962－1965」「1972－1982」と刻まれていた。二二八事件の時、黄紀男は国民党政府を非難

銃殺刑にされた人たちの名前

して台独論を訴えた。そして漁船で台湾を脱出し、香港で「台湾再解放連盟」を結成した。その後、何度も捕まるが、1982年6月に減刑されて出獄した。台湾に民主化が訪れ、李登輝の後を継いだ民進党の陳水扁が総統に就任すると、彼の国策顧問となっている。

この紀念碑は、緑島に収監された人たちを「第二次世界大戦後から40年に及ぶ白色恐怖時期に自由・民主・法治・尊厳を勝ち取るために銃殺され、拘禁された英雄」と記していた。かつての政治犯が英雄と呼ばれるに至るまでにいかに多くの人が犠牲となったのか、私たちは隣人として銘記しておきたい。

緑島の意味

緑島に収容された囚人は、自分の意に反して、あたかも思想が改造されたように振る舞ったのだろう。そうしなければ永遠に釈放されなかった。しかし、本当に思想が改造された人がいたとは思えない。多くの囚人は、釈放後も国民党の権威に抗し続けたからである。

緑島東海岸

緑島は思想改造や思想教育の場とされたが、そんなのは名目にすぎない。真の目的は、国民党に反抗する人々に想像を絶する精神的打撃を与えることだった。そうでなければ、わざわざ緑島のような絶海の孤島に連れてくる必要などない。

生活を激変させ、自由を奪い、家族と過ごす幸せを分断して、絶望と恐怖を与えることで国民党批判を封じ込め、さらには忠誠を誓わせようとした。その過程で、たとえ命を奪ったとしても仕方がない……こうした考えがなければ、緑島の監獄に次々と人を送り込むことはできなかっただろう。

こうして、緑島は多くの人生を翻弄し、磨り潰し、へし折った。そして、国民党を恨む気持ちを増幅させた。つまりは、いかなる観点から見ても、一片の価値も意味も見いだせない。これが、2日間じっくりと監獄跡を歩いて見えた結論だ。

緑島を後にして

とはいえ、せっかくはるばる来た緑島なので、その自然にもっと親しみたいと思い、スクーターで2周もした。島の東側は険しい断崖絶壁が続いていた。しかし、監獄を見学した後だと、この壮大な自然も、政治犯の自由を閉じ込める障害物に見えてしまった。

緑島の最南東部には有名な朝日温泉がある。日本統治時代にはすでに存在し、「旭温泉」と呼ばれていたらしい。珊瑚礁の海底から温泉が湧き出すことで有名で、海から昇る朝日を眺めたいという人のために、早朝から営業している。

温泉に浸かると、太平洋と目線が同じになった。ちょうど夕方で、山側に太陽が沈みかけ、海の色が変化した。雄大だった。朝日温泉に入るために緑島まで訪れる日本人もいるという。緑島という小さな島に、このような天国があったことを、同じ緑島内の地獄に囚われていた囚人たちは知っていたのだろうか。

緑島を後にする時は、船ではなく飛行機を使ってみた。旅館から緑島空港へは徒歩5分だが、旅館の人はどうしても送ると言ってくれたので言葉に甘えた。

定員19人の徳安航空DHC6－400はほぼ満席だった。917メートルの滑走路を半分ぐらい滑走すると浮き上がり、すぐに海上に出た。コックピットと客席の間に仕切りがなく、オーストラリアから来たカップルは「テロは大丈夫か？」と心配そうだった。

飛行機は、荒波の太平洋を軽く飛び越え、台東市の上空で大きく左に旋回し、台東空港に向けて降下した。飛行時間はおよそ15分、あっという間に到着した。

復路にわざわざ飛行機を選んだのは、柯旗化の気持ちを考えたかったからだ。緑島飛行場は彼が服役中の1972年にできた。1976年6月19日朝に釈放されると、この空港からセスナ機で台東空港に向かい、バスに乗り換え、午後4時頃に高雄駅バスターミナルに到着、出迎えの家族と再会した。緑島からわずか半日だった。しかし柯旗化と彼の家族はこの日を15年も待ち続けた。やはり緑島は遠かった。

朝日温泉

緑島空港

緑島への行き方
まずは台東市まで行き、ここから船か飛行機。船は台東富岡漁港から出ている。運航数は多いが、シーズンや天候等でダイヤが変更される。事前予約が望ましい。台東市内のホテルに宿泊した際にフロントで予約を手伝ってもらうと良いだろう。
https://bluebus.com.tw/order/index.php （緑島之星）

飛行機は徳安航空（Daily Air）が台東空港と緑島空港を1日3往復している。台北から台東まで飛行機を使う場合、台東空港からダイレクトに緑島に飛べるので便利だが、飛行機が小さい為、すぐに満席になる。早めの予約を。
https://www.dailyair.com.tw/Dailyair/Page/

新生訓導処の資料室に描かれていた絵　この絵に描かれている囚人は目隠しをされている。受刑者を模した人形には表情がない。これを見て、カンボジアを思い出した。いずれの国も、そこに住む人たちから人間の尊厳を奪った。すなわち、視界と表情を奪ったのだ。

「新生」（受刑者）たち

2　台北の「二二八事件」を歩く

遠い緑島まで行かなくとも、白色恐怖の傷跡は台湾各地に残っている。ここからは、台北で勃発した「二二八事件」（1947年2月28日）を辿りつつ、戦後台湾の軌跡を確認していく。できれば以下を参考に台北を歩いてみてほしい。

日本の敗戦と「祖国復帰」

1945年8月15日、日本では終戦を告げる玉音放送が流れた。日本人は、敗戦の悔しさ、終戦の安堵感、将来への不安、戦地に赴いた兵士の安否など、様々な思いを抱きながらラジオに耳を傾けた。

玉音放送は、日本統治下の台湾と朝鮮でも流れた。しかし、反応は違った。朝鮮では「万歳」が叫ばれ、人々は隠し持っていた太極旗を振って「日帝35年」からの解放を喜んだといわれている。

一方の台湾人は、もう少し複雑だったようだ。たしかに台湾でも日本統治からの解放を喜ぶ声はあった。しかし、当時を知る老人に聞くと、「これから台湾はどうなるのか」という不安の方が大きかったという。

それでも時が経つに従い、台湾人は次第に新時代への期待を膨らませていった。日本統治下では、台湾人も天皇陛下に忠誠を誓った。戦争が始まると、多くの台湾人も日本兵として出征し、日本人とともに戦った。それでも、台湾人を二等国民視する風潮は根強かった。

日本の敗戦は台湾人にとって転機であった。台湾は中華民国に「復帰」し、台湾人は日本人から中国人（中華民国）となった。これは敗戦国民から戦勝国民への転身

台北公会堂（現：中山堂）
1936 年、台北公会堂として竣工。1945 年 10 月 25 日午前 11 時に開かれた「中国戦区台湾省降伏受諾式典」は、現在「光復庁」と呼ばれるホールで行われた。見学可能だが事前確認を。
（台北市延平南路 98 号）

であった。もはや台湾人は他民族の下に置かれるのではなく、祖国中国の一員として堂々と胸を張ることができるのではないか。こうした新時代への期待が膨らんだ。

10月25日、最後の台湾総督安藤利吉（１８８４～１９４６年）が降伏文書に署名し、１８９５年から50年続いた日本の台湾統治が正式に幕を閉じた。降伏式は台北公会堂で行われた。新たに中華民国台湾省の行政長官となった陳儀（１８８３～１９５０年）も出席した。台北公会堂の周りには台湾人の「祖国復帰」を祝福するために多くの台湾人が集まった。

台湾人の幻滅

しかし、新時代への希望はすぐに裏切られた。まず中国大陸から台湾接収のためにやってきた祖国の軍隊にことごとく幻滅させられた。彼らは台湾に上陸すると、略奪や暴行、バスの無銭乗車、無銭飲食などやりたい放題に振る舞ったのである。

服装や外見も粗末だった。柯旗化は「雨傘を背負い、天秤棒で鍋釜や布団を担いだ、敗残兵か難民のようなだらしのない恰好をした中国兵の行列を見て、幻滅の悲哀を味わった」と書いている。規律正しい日本軍を見慣れていた台湾人にとって、祖国の軍隊はあまりにも惨めであった。

なぜ、台湾に派遣された軍隊は悪質だったのか。日本軍はすでに降伏し、戦闘の恐れがなかったため、台湾に精鋭部隊を派遣する必要がなかったからであるとも、中国大陸で共産党軍と戦っているため、台湾に割り当てる余裕がなかったからだともいわれている。しかし、たとえ事情があったにせよ、台湾に来た中国兵は粗暴で社会秩序や治安を乱した。台湾人が抱いた新時代の夢は裏切られた。

兵隊だけではなかった。中国から来た国民党の役人も台湾人を幻滅させた。彼らは日本が残していった財産を「接収する」と口ではいいつつ私物化していった。台湾の企業や組織の重要ポストも独占していった。当時を知る人は、大陸から腐敗と私利私欲が持ち込まれたと怒りを隠さない。

経済も大いに傷つけられた。国民党は、台湾の砂糖やコメ、石炭などを次々と大陸に運び出した。そのため台湾は食料不足となり、インフレも悪化し、失業率が上昇した。

教育現場も変わった。日本人に代わって教壇に立った中国人教師は、放課後に補習を行い、生徒から授業料を取った。生徒もわざわざお金を払って補習に参加したのは、学校の試験問題をあらかじめ教えてもらえるからだった。心付けで点数が変わることもあった。

日本統治時代にも、残念ながら台湾人生徒を差別する日本人教師はいた。しかし、家が貧しい台湾人生徒の学費を肩代わりするなど、公私を超えて教育に情熱を注いだ教師も多かった。その証拠に、かつての日本人教師と台湾人生徒による同窓会は最近までよく見られた。時代を経ても続く師弟愛の話は多く、少なくとも、テスト問題を漏らして金儲けを企んだ日本人教師の存在などは聞いたことがない。

国民党政府は「台湾が『祖国復帰』し、台湾人は中華民国の主人となった」と繰り返した。日本統治時代に高

天馬茶房　日本時代の 1941 年にオープンした喫茶店で、経営者は活動弁士（サイレント映画上映中に内容を語るナレーター）詹天馬。文化人やインテリが集う社交場であった。現在の天馬茶房は建て直されたもの。

等教育を受け、台湾人の権利拡大を訴えたエリートたちは、とりわけこの言葉を信じ、祖国と台湾の発展に貢献しようと理想に燃えた。しかし、国民党政府はこうした優秀な台湾人エリートを「日本の奴隷化教育を受けた」と軽蔑し、社会の主要地位から遠ざけた。祖国復帰とは名ばかりで、実際には国民党による新たな台湾支配に他ならなかった。裏切られた台湾人は落胆し、不満を募らせた。

二二八事件の始まり――天馬茶房前の闇タバコ事件

1947年2月27日、ついに台湾人の不満が爆発した。発火点は、台北市大稲埕（だいとうてい）の喫茶店「天馬茶房」の前だった。西側に淡水河が流れる大稲埕は清朝時代から物流拠点として栄え、日本統治時代には商業や文化の中心地となった。その後も繁栄が続き、多くの人が集まるので、夕方になるとタバコの路上販売が集まった。国民党政府は、日本統治時代の専売制度（タバコ、酒、マッチ、樟脳など）を受け継いだが、闇取引が後を絶たないため、警

二二八事件の勃発点。天馬茶房の前の歩道に立つ。
（台北市大同区南京西路 189 号）

察や専売局は常に目を光らせていた。

2月27日の朝、専売局は、闇マッチや闇タバコが淡水港に陸揚げされるという情報に接した。そこで、密売取締官6名と警官4名が現場に向かったが、現場を押さえることはできなかった。同じ日に、改めて闇取引の情報が入った。場所は南京西路の天馬茶房の前ということだった。駆けつけると闇商人たちはすでに逃走していた。ただ、林江邁という40過ぎの女性が1人で闇タバコを売っていた。

取締官は林江邁から現金とタバコ50カートンを没収した。夫に先立たれて貧しい生活を送っていた彼女は「全部持っていかれたら食べられなくなる。せめてお金と公認タバコだけは返してほしい」と訴えて取締官の1人にしがみついた。

取締官は林江邁を振り払おうとして銃の砲身で殴った。すると彼女の頭から血が流れた。

この状況を見ていた民衆は怒り出し、「阿山（外省人）は話が分からない」「豚野郎は本当に悪い」「タバコを返せ」と罵声を浴びせた。

専売局台北分局（現彰化銀行台北分行）
1928 年に日本の辰馬商会が建てた店舗兼事務室兼倉庫。辰馬商会は「白鹿」でおなじみの神戸・灘の清酒メーカー辰馬本家が台湾進出のために 1903 年に設立。1934 年から台湾総督府専売局が入居した。戦後は中華民国政府に没収された。
（台北市中正区重慶南路 1 段 27 号）

形勢が不利とみた取締官らはその場を離れようとした。しかし人々が追いかけてきたので、1人が威嚇発砲した。すると不幸なことに、自宅前で騒ぎを見ていた陳文溪という20歳の若者の胸に命中した。すぐに病院に搬送されたが翌日死亡した。

対立の激化

天馬茶房の前で点火した人々の怒りは、翌28日にはさらにエスカレートした。朝10時頃、専売局台北分局に群衆が押し寄せ、発砲した取締官の処分を求めた。しかし反応がなかったため、人々はついに建物に乱入し、倉庫に押し入り、酒、タバコ、マッチ等を道路に投げ出し、事務所内を打ち壊した。

それでも人々の怒りは鎮まらなかった。ドラを鳴らしてデモ行進をし、沿道の商店にボイコットを求め、午後1時頃には4～500人が行政長官公署を包囲した。天馬茶房前の事件をきっかけに発火した台湾人の怒りは、その矛先を台湾行政長官の陳儀と、国民党政府の台湾統

行政長官公署（現行政院）
岐阜県出身の建築家井出薫（1879～1944年）の設計により1940年竣工。当初は台北市役所、戦後は中華民国台湾省行政長官公署を経て台湾省政府となるが、1957年に省政府が台湾中部の南投市に新設された中興新村に移転したため、行政院が入り、現在に至る。
（台北市中生区忠孝東路1段1号）（見学可能。事前に行政院ウェブサイトで要予約）

治そのものに向けたのであった。

　この時の陳儀の対応は、おそらく誰も想像していなかった。長官公署の3階ベランダに憲兵が出てきて、機関銃を設置したかと思うと、人々に向かって一斉射撃したのである。当然ながら多くの犠牲者が出た。

　群衆は中山公園（現二二八紀念公園）に集まり、公園内の台湾広播電台（ラジオ局）に押し入った。そして、長官公署が民衆に発砲したことを全台湾に伝えるようにと要求した。しかし、その場にいたアナウンサーが従わなかったため、ついにラジオ局は占拠され、事件経緯が電波に乗った。

　台北で発生した事件の情報は、台湾中に蓄積されてきた不満に火を付けた。各都市では汚職官吏の追放や政治改革を求める集会が開催され、国民党との武力衝突も辞さないとする強硬意見も現れた。

　午後3時、陳儀は台北市に戒厳令を発令し、デモ隊の鎮圧を始めた。台北各地で軍・警察と民衆が衝突し、交通機関は麻痺し、工場が停止した。この混乱で多くの死傷者が出た。

二二八事件処理委員会

祖国復帰以来の不満を爆発させた台湾人の中には、国民党政府に対して実力行使に踏み込むべきだとの訴えもあった。しかし、台湾人が準備できる武器は、日本軍が残した小銃などごくわずかだった。武力衝突となれば多くの犠牲が避けられない。

そこで、全国の市参議員など有力者は「二二八事件処理委員会」を組織した。日本統治時代から台湾人の権利向上を求めたエリートが中心となり、国民党政府との対話を通じて事態を収束させる道を模索したのである。

処理委員会は、国民党政府に対して、二二八事件の責任追及をしないこと、逮捕者を釈放すること、死傷者に対して補償することなどを要求した。その一方で、無駄な流血を阻止するため、実力行使に訴えるべきだと怒りに震える台湾人を宥めて暴発を抑えた。

台湾人の怒りを鎮めるためには、国民党政府の台湾統治のあり方そのものに改善を求め、台湾人の地位を向上させることが必要だった。処理委員会は、台湾人を要職に登用することや、民意を反映するための政治改革なども要求した。

時間稼ぎ後の容赦なき殺戮

処理委員会が提示したこれらの要求に対して、陳儀は驚くほど柔軟な態度を見せた。台湾人の地位向上にも同意した。もし、陳儀が本心から台湾人に同情していれば、ここで二二八事件は解決に向かい、台湾人の不満も緩和され、戦後台湾史は大きく変わっていただろう。

しかし、陳儀は時間を稼ぐために妥協しただけであった。台湾人に友好的な顔を見せて油断させ、その裏で軍隊の増援を要請し、その到着を待っていたのである。

3月8日、ついに大陸から応援部隊が到着した。軍艦が基隆沖から艦砲射撃を行い、上陸した兵士は機関銃で徹底的に掃射するなど、敵前上陸さながらの軍事侵攻であった。

援軍を得た陳儀はこれまでの態度を一転させた。10

日、台湾全島に戒厳令を発令し、二二八事件処理委員会のメンバーをはじめ、国民党政治に批判的だった知識人、ジャーナリストなどを根こそぎ逮捕したのであった。この過程で多くの人が殺され、あまりにも残忍かつ野蛮な光景が台北を覆った。

例えば処理委員会の宣伝責任者であった台北市参議員の王添灯（1901～1947年）は、3月11日未明に自宅で拘束されると、ガソリンで燃やされて淡水河に捨てられた。逮捕や裁判といった手続きなどはなかった。王が共同経営していた新聞「人民導報」は発禁処分とされるなど、言論も窒息させられた。

新竹市の検察官であった王育霖（1919～1947年）も命を奪われた。東京帝国大学を卒業して司法試験に合格し、台湾人初の検察官（京都司法裁判所検事局）となった抜群の頭脳の持ち主であり、正義感も並外れて強かった。

王育霖がなぜ狙われたのかは推測するしかない。やはり正式な逮捕状などはなく、裁判も行われていないからである。弟の王育徳（台湾語学者、明治大学教授）は、兄が検察官として外省人の汚職を摘発しようとし、国民党から恨みを買ったことがその理由だと考えている。

驚いたことに、処刑日時やその場所は家族にすら教えられなかった。当時は、台北を流れる川の河原に多くの遺体が捨てられていたので、王育霖の妻は幼い子供を背負いながら、毎日、夫の亡骸を探し歩いたという。

河原で遺棄されていた多くの死体の手のひらには1本の長い針金が貫かれていた。この針金は数人の手のひらを束ねてあった。国民党の兵隊は、こうして人々を拘束し、河原に連行して機関銃で殺害したのであった。市街地には、頭を打ち抜かれた遺体が散乱していた。これが二二八事件だった。

修羅場となった台湾各都市

虐殺は台湾各地で発生した。見せしめの処刑もあった。例えば台南では、二二八事件処理委員会治安組長の湯徳章（1907～1947年）が公開処刑された。日本人警官を父に持ち、日本統治時代に台湾人の権利拡大に努

台湾広播電台（現在「台北二二八紀念館」）
財団法人台湾放送協会が設立された1931年に台北放送局として建設された。設計者は台湾総督府の技師栗山俊一（1882年福井県生まれ、東京帝国大学工学部建築学科卒業）。台湾にラジオ放送が始まったのは1925年。栗山は台北郵局（1932年建設）も設計した。今の台北郵便局である。
（台北市凱達格蘭大道3号　http://228.taipei.gov.tw/）

めた弁護士であり、二二八事件では武力で国民党と戦おうと勇む若者たちを必死で宥めた。

湯徳章は3月9日に逮捕された。そして11日に台南市中心の民生緑園で銃殺された。逮捕から処刑までのわずか2日間で、全てのあばら骨が折られる激しい拷問を受けていた。

処刑当日は、朝からトラックの荷台に乗せられ、兵士がラッパを吹いて街中を引き回した。そして頭部に3発の銃弾を受けた。遺体の引き取りは3日間許されなかった。妻が毛布を掛けることも、湯徳章の顔にたかるハエを追い払うことも許されず、見張りの国民党兵士は遺体の顔に砂をかけて「これでいいだろ」という顔を見せたという。

高雄市でも虐殺があった。3月6日、高雄要塞司令の彭孟緝（1908～1997年）は軍隊を動かし、市内で3000人以上を殺害した。台湾人の抵抗も激しく、例えば高雄中学の学生たちは「自衛隊」を結成し、日本人が残した日本刀、手榴弾、わずかな38式歩兵銃を武器に学生服姿で戦った。高雄駅周辺には学生たちの遺体が

撫臺街洋樓
もともとは1928年創設の貿易会社「佐土原商会」。主な商品は酒、タバコ、計量器など。1929年には日本酒「富久娘」の台湾販売代理権を取得した。日本統治終了時、建物は台湾人に譲渡され、新たに創刊された「人民導報」が入居した。しかし、二二八事件では暴動を扇動したとして発禁処分となり、共同経営者の王添灯や宋斐如（1903-1947年）は殺害された。（台北市延平南路26號）

散乱したが、収容することは許されず、しばらく見せしめとして放置された。

二二八事件により、台湾全土で犠牲となった人数は1万8000人から2万8000人と見積もられているが、正確な数字は今も分からない。

台北市内にある台北二二八紀念館や二二八国家紀念館（台北市中西区南海路54号）を訪ねると、犠牲者の写真と経歴が紹介されているのでじっくりと見てほしい。日本留学経験者や、台北帝国大学を卒業した弁護士や医者、教育者、言論人やジャーナリストなど、当時の台湾が誇る最高の頭脳たちであることが痛感できる。彼らは日本統治が終わった時、新たな時代をよりよくしようと理想に燃え、国民党の残虐で不公平な統治と戦った。そのために命を落としたのであった。

紀念館では、ぜひスタッフやボランティアの方々、状況が許せば他の見学者にも話しかけてほしい。私もこれまで、犠牲者の遺族や、その時代を生きた高齢者からいろいろな体験を教えてもらった。そして必ず聞く言葉があった。「二二八事件で殺された台湾人は、真に優秀な人たちばかりで、教養も深く、心から台湾の新時代を築くことを願っていた。こういった人たちが真っ先に狙われた。国民党は台湾の頭脳を葬り去ったのだ」。

「二二八事件」以降の文化政策

二二八事件の後、国民党政府は、人々の思想や信条を徹底的に監視した。そして、すでに紹介した緑島に代表される監獄が各地に設けられ、多くの人々が自由を奪われた。

また、国民党政府は日本語使用を禁止し、学校では祖国（中国）文化を徹底的に教育した。その意図は、台湾人の反抗心を削ぐことにあった。

国民党政府は、二二八事件は過去の日本統治に原因があると考えた。日本統治下で中国から切り離された台湾人は、中国人の自覚を失った。また、日本人の中国人蔑視の態度を身に付けてしまった。こうして「日本人の奴隷」となり、祖国中国をも見下すに至った。ここに二二八事件の元凶があるとするのが国民党の認識だった。

1949年、国民党は中国大陸を失い、台湾本島と大陸沿岸の島をいくつか統治するのみとなった。すると国民党は、自分たちこそが中華文明の正統な継承者であり、台湾は中華復興の基地だと主張した。もはや台湾人が日本の奴隷であることは許されず、中華文明を代表する国民党に忠誠を誓うことが求められた。

台湾人は国民党の残虐性を二二八事件で痛感していた。そのため、政府批判を避け、政治に無関心を装い、二二八事件に対して口を閉ざした。一部の台湾人は海外に逃れて二二八事件の真実を訴えたが、台湾までは届かなかった。台湾人が恐る恐る二二八事件に触れるのは、1980年代以降のことだった。しかし国民党は、二二八事件は台湾社会の混乱を図る中国共産党の陰謀であり、この話題を取り上げることは社会の安定と団結を乱すとして、やはり隠蔽を続けた。

3　台湾民主主義の到達点

暗黒時代の正視へ――台湾の民主化

台湾人は恐怖政治によって長年にわたり沈黙を強いられてきた。こうした状況を根底から変えたのが李登輝（1923～2020年）だった。

1990年11月、本省人初の総統となった李登輝は、二二八事件特別委員会を発足させて真相の究明に乗り出した。1995年には台北公園（現在の二二八和平紀念公園）に二二八事件紀念碑を設置させ、2月28日の除幕式には自らが出席して政府を代表して謝罪した。

こうした李登輝総統の動きを見た台湾人は、国民党の恐怖政治によって心の奥底に封じ込めてきた記憶を語り出した。台湾各地では事件の真相解明への動きが始まり、犠牲者の名誉回復や遺族補償が進み、慰霊碑や紀念碑の建立も相次いだ。

また、緑島の監獄跡を、白色恐怖時代の証人として後世に残すべきだとする声が挙がった。提唱者は16名の立法委員であり、その中にはかつて緑島に収監された施明徳もいた。そして1999年12月10日に緑島人権紀念碑が完成すると、落成式にはやはり李登輝総統が出席、犠牲者に向かって公式に謝罪した。

緑島の監獄は2018年に国家人権博物館となった。同年5月17日の除幕式には蔡英文総統が出席した。人権弾圧の歴史を風化させず、新たな国づくりの指針とする台湾の決意と意志が伝わってくる。

人権を守る努力

民主社会となった台湾は、人権をとりわけ重要視した。例えば李登輝の後を継いで総統に就任した民進党の陳水扁（1950年～）は、2000年5月20日に行った総統就任演説で、「台湾は世界の人権の潮流から外れることはできない」と訴えた。陳水扁もまた、かつて美麗島事件で被告の弁護人を務めるなど、自由や民主主義を求めて戦ってきた。当然ながら、国民党の強権政治下で人権が簡単に侵害される様子を見続けてきた。

陳水扁は、具体的な政策として、国連の国際人権規約を台湾に取り入れようと奮闘した。実は国民党は、白色恐怖時代の1967年にこの規約に署名していた。しかし、批准には至っていなかった。

2009年6月、陳水扁総統は改めて国連に批准書を送付した。しかし、残念ながら時すでに遅かった。なぜなら1971年に国連加盟国の地位が中華人民共和国に移り、台湾（中華民国）は国連から脱退していたからである。国連は台湾の批准書を拒否せざるを得なかった。ここに台湾の苦悩があった。

しかし、陳水扁をはじめ台湾人は知恵を絞った。そして、たとえ国連加盟国ではなく、国際人権規約の締結国となれなくても、その精神を台湾に取り入れようとしたのであった。

具体的には、国際人権規約に反するような台湾の国内法を改正した。また、国際人権規約は、締約国に対して「人権報告書」を作成し、国連作業部会の審査を受けることを義務付けていた。そこで台湾は、自発的に「国家人権報告書」（総統府人権諮問員会）を作成した。

もちろん、国連作業部会は台湾の人権報告書を審査することはなかった。しかし台湾は、世界から元国連専門家や学者などを招き、実際の国連作業部会と遜色のない手順で審査を受けたのであった。2012年の審査では、その様子がインターネットを通じて中継された。人権という価値に向き合う台湾の決意と行動は、こうして世界に示されたのだった。

2017年、台湾は2度目の審査を受けるため、再び人権問題専門家を海外から招いた。加えて、まだ取り入れていない人権条約（「拷問及び他の残虐な、非人道的な又は品位を傷つける取扱い又は刑罰に関する条約」「全ての移住労働者及びその家族の権利保護に関する条約」「強制失踪からのすべての者の保護に関する国際条約」）に全力で取り組むと表明した。

　台湾が見せる人権への真剣な態度には驚くばかりである。しかし、台湾の過去を振り返ると納得がいく。白色恐怖時代の記憶はまだ生々しく人々の脳裏に留まっているからだ。

台湾民主主義の到達点

　２０２０年1月11日に台湾総統選挙があった。結果は、現職の蔡英文総統（民進党）の勝利だった。得票数は８１７万票、得票率は57％であった。

　再選を決めた直後、蔡英文は勝利演説を行った。これを聞いていた私は、二二八事件や緑島抑留に代表される白色恐怖期を経て、今では世界の誰もが羨む自由と民主主義を獲得した台湾の軌跡を振り返った。

　演説の冒頭、蔡英文は、ライバルだった国民党の韓国瑜候補とその支持者に感謝を述べた。民主主義とは異なる理念や政策を競うことであり、そのためには対立候補の存在が不可欠であるからだ。つまり韓国瑜は総統の座を争うライバルであると同時に、選挙を通じて民主主義を深化させる同志でもあった。蔡英文が謝意を表明したのはこうした理由からだ。

　壇上で演説する蔡英文の後ろで見守っていた人たちの中には、陳菊総統秘書官長の姿があった。美麗島事件で逮捕され、軍事法廷で死刑を求刑され、緑島の感訓監獄に収容された闘士である。白色恐怖の時代にも決して怯むことなく、自由と人権、そして民主主義を訴え続けた。この偉大な先輩に対し、蔡英文は親しみと敬意を込めて「菊姐」と呼びかけていた。

　陳建仁副総統もいた。ジョンズ・ホプキンズ大学公共衛生学の博士号を持ち、２００３年のＳＡＲＳ危機時には行政院衛生署（厚生労働省）署長としてリーダーシップを発揮、２０１５年以降は副総統として蔡英文を支え、２０２０年のコロナウイルスでも手腕を発揮した人物である。

　陳建仁は、蔡英文の2期目当選を見届けると副総統を退任し、中央研究院特別招聘研究員として学術研究に戻った。この時、副総統経験者に送られる恩給などはすべて辞退し、台湾人を驚かせた。権力に奢らず、政治を特権階級の専有物としないこの潔さも、台湾の民主主義の到達点を示していよう。

　選挙戦を通じて、国民党の韓国瑜候補は蔡英文を執拗に攻撃した。特に中国との関係を悪化させ、その結果として台湾人の懐を貧しくさせたと非難した。そして、自分が総統になったならば、中国との関係を改善し、経済関係を拡大させて台湾人を金持ちにすると訴えた。

　この訴えを蔡英文や彼女の支持者はどのように捉えただろうか。ひとつのヒントがあった。台湾の総統選挙では、各候補がテーマソングを創る。蔡英文のテーマソングは「台湾の子」であった。この歌詞の内容は実に素朴だった。金持ちにならなくてもいい、親や先輩世代に対する感謝を忘れたくない、一生懸命に働いて、家族と幸せに暮らしたいという願いが、台湾語も交えて綴られていた。

　白色恐怖の時代、多くの台湾人は不当に自由を奪われた。家族と過ごす幸せな時間を踏みにじられた。台湾人は、先人が苦難を重ね、ようやく自由と人権を手に入れた。その幸せをかみしめるようなテーマソングだった。

　演説を締めくくるにあたり蔡英文は、台湾と中国は「民主、対等、主権、対話」の8文字を原則とした関係を築くべきだと訴えた。台湾史は外来政権に支配された歴史であった。台湾人の立場に立てば、日本も国民党も外来政権だった。外来政権の支配下で台湾人は従属的な地位を強いられた。その苦しみは白色恐怖時代に頂点に達した。しかし1996年以降、台湾は自らのリーダーを民主的な手段で選び続けてきた。ようやく従属的な地位から脱し、台湾人は自分の運命の主人公となった。蔡英文が掲げた「民主、対等、主権、対話」の8文字は、台湾人はこの先、自分の運命を決して他人に委ねたりはしないという決意の表れであった。

コラム

台北に残る白色テロ時代の名残

保安司令部保安処看守所

日本統治時代に作られた東本願寺が戦後に接収されて保安司令部に用いられた。秘密理に処刑が行われるなど「修羅煉獄」として恐れられた。１９５８年からは警備総司令部の一部となり、60年代にも政治犯が監禁された。柯旗化もここに2度拘束された。現在は跡地に獅子林大樓や誠品武昌店などが建ち、当時の面影は全くない。しかし、「本願寺の保安処」を覚えている老人は少なくない。（台北市萬華区西寧南路36号）

警務処刑事警察総隊（現在は台湾新文化運動紀念館）

日本統治時代の１９３３年に竣工した「台北北警察署」。戦後は台湾省警務処刑事警察総隊となり、政治犯の捜索と尋問、拘留の拠点となった。２０１８年10月に台湾新文化運動紀念館となった。（台北市大同区寧夏路87号）

西本願寺（現在は「西本願寺広場」）
日本統治時代に設立された浄土真宗本願寺派（西本願寺）台湾別院。戦後に国民政府に接収され、警備総司令部が利用した。拘置所も置かれ、王育霖はここに収容された。現在は西本願寺広場として整備され、白色恐怖時代を連想させるものはない。（台北市萬華区中華路１段174～176号）

警備総司令部軍法処看守所（現在は「景美国家人権博物館」）

緑島と並び戒厳令時代の台湾を象徴する施設。武骨で無機質なコンクリート塀、その上の有刺鉄線は、戒厳令時代の空気を今に伝える。敷地内の「軍事法廷」では柏楊裁判が、「第一法廷」では美麗島事件の裁判がなされた。施明徳、黄信介、陳菊らはここで裁かれた。1999年に白色恐怖景美紀念園区、2018年には緑島と並ぶ人権博物館に指定され、5月18日の除幕式には頼清徳行政院長と鄭麗君文化部長が出席した。過去を直視して教訓を現在に生かそうとする台湾の決意が感じられる。ビジターセンターでは日本語のパンフレットもある。カウンターの人に挨拶をすれば、色々と教えてもらえる。（新北市新店区復興路131号）

馬場町刑場

もともとこの地には1909年に日本軍が設置した「台北練兵場」があり、騎兵の訓練がされていたことから馬場町とつけられた。今は新店渓の拾い河原を利用したキャンプ場やサイクリングロードなど平和な光景が広がる。

しかし、このあたりは1949〜1954年頃まで刑場として使われた。小さな丘の前に設置された碑文には、「1950

景美国家人権博物館

年代、社会正義と政治改革を追求した熱血の志士が戒厳令の下で逮捕され、この塚の付近で銃殺された」とある。

二二八事件の元凶であった陳儀もここで銃殺刑となっている。事件後に中国大陸に戻るが、共産党に寝返ろうとして逮捕され、台湾に連れ戻された。台湾民衆に憎まれ、国民党からも裏切り者と呼ばれるに至った陳儀だが、中国共産党だけは彼を評価した。（台北市萬華区水源路）

六張犁墓区（戒厳時期政治受難者紀念公園）

1950年代、政治犯の処刑情報は台北駅に張り出された。家族や親戚は、処刑3日以内に、台北市内の安置所に出向き、ホルマリン漬けの遺体を引き取った。しかし遺族は、「贖屍金」と呼ばれる遺体引取りの手数料や、さらには「子弾銭」（射殺に用いた銃弾費用）を支払う必要があった。かなり高額であり、遺体引取りを諦めざるを得ない場合もあった。

処刑の報に接しなかった家族もいた。また、親戚が台湾にいない外省人の遺体もあった。こうした理由で引取り手が現れなかった遺体の一部は、国防医学院に運ばれて解剖の教材とされた。その他多くは、六張犁墓地に運び込まれて埋められた。（台北市大安区崇徳街）

馬場町刑場

《台湾関係年表》

1945年　日本敗戦（8月）。陳儀が台湾省行政長官に（10月）。

1947年　台北でヤミ煙草の取締りを巡り市民と警察が衝突（2月27日）。
二二八事件勃発（2月28日）。軍隊が基隆上陸（3月8日）。

1949年　反乱鎮圧動員時期臨時条項が台湾で実施。国民党政府の台湾移転（12月）。

1951年　緑島に新生訓導処成立（～1970年）。

1952年　日華平和条約（4月）。

1970年　泰源事件。

1971年　中国の国連加盟、中華民国は国連から脱退。

1972年　緑島に国防部感訓監獄（緑州山荘）成立（～1987年）。
日中国交樹立、日華断交。

1979年　美麗島事件。

1986年　台北の円山大飯店にて民主進歩党結党（初代主席江鵬堅）。

1987年　戒厳令解除。

1989年　台湾の政治的自由を訴えてきた雑誌「自由時代」編集長の鄭南榕が焼身自殺。

1990年　李登輝が総統に選出（中国大陸選出代表による投票）。

1991年　反乱鎮圧動員時期臨時条項が廃止。

1996年　李登輝が総統に選出（直接選挙）。

1997年　台北に二二八紀念館成立。

2018年　国家人権博物館（緑島と景美）成立。

第３章　四・三事件と済州島の人々
── 板挟みの中で

「飛雪」。4.3 平和公園にて。本来なら最も守られるべき母と娘の命と未来が奪われる刹那。この姿は、済州島で起こった過去の悲劇を象徴するだけではない。国境や時代を超えて、人類がこれまでに犯してきた罪を訴えているようだ。私たちはこれまで人間として進歩したのだろうか。

朝鮮半島南部に浮かぶ済州島。かつて、この美しい島で約3万もの島民が虐殺された。1948年の四・三事件である。1950年6月には朝鮮戦争が勃発した。済州島では四・三事件の犠牲者を弔うことなどできなかった。「共産主義者のシンパ」として殺されることを恐れたからである。

1985年、司馬遼太郎が秋と冬の2度にわたって済州島を訪問し、『街道をゆく28　耽羅紀行』（朝日文庫、1990年）を執筆した。しかし、四・三事件には踏み込んでいない。無関心だからではない。その証拠に、四・三事件の全容を抉るように描いた在日作家金石範（1925年生まれ）の大著『火山島』を「感覚の中にまで入り込むように」読み込んだとわざわざ述べている。

なぜ司馬は四・三事件と距離をおいたのか。『耽羅紀行』には「この事変について、私は朝鮮・韓国の友人たちと語ったことは一度もない。外国人としてのごく自然な節度としてそういうことを話題にしなかっただけ」と、私の疑問に先回りしている。

司馬が済州島を訪ねた時、韓国は軍事政権下にあった。四・三事件に言及することはタブーだった。この事件に踏み込むと、司馬を案内した済州島出身の友人に迷惑をかけるかもしれなかった。また、済州島では改めて人々の心の傷の深さを感じたのかもしれない。痛みを我慢する人に「傷口を見せてくれ」と頼むべきではない。このように考えると、『耽羅紀行』は触れないことによって、むしろ雄弁に四・三事件を語っている。

司馬の訪問から35年、四・三事件から72年が過ぎた。しかし、島民の心は癒えていない。一方、社会は変わった。韓国は民主化された。2000年1月には事件の真相究明と慰霊を決めた特別法が韓国国会で可決され、2003年には『四・三事件真相調査報告書』が作成された。同年10月には盧武鉉大統領が済州島を訪れて謝罪した。

済州島では四・三平和公園が整備され、紀念館は事件を展示し、真実を追究し、世界へと発信しはじめた。映画もつくられた。関連書籍も増え、「済州島四・三事件を考える会」など市民団体の活動も活発だ。

歳月はやがて記憶も感情も過去に押し込んでしまう。済州島では事件の風化を恐れ、史実と教訓を世界に訴えたいと願う声があった。彼らは、同胞でもない私に熱心に語ってくれた。地理的にも歴史的にも、人々の交流においても、済州島と日本の縁は深く長い。ならば私たち日本人も、隣人の苦難にもっと正面から向き合うべきではないだろうか。

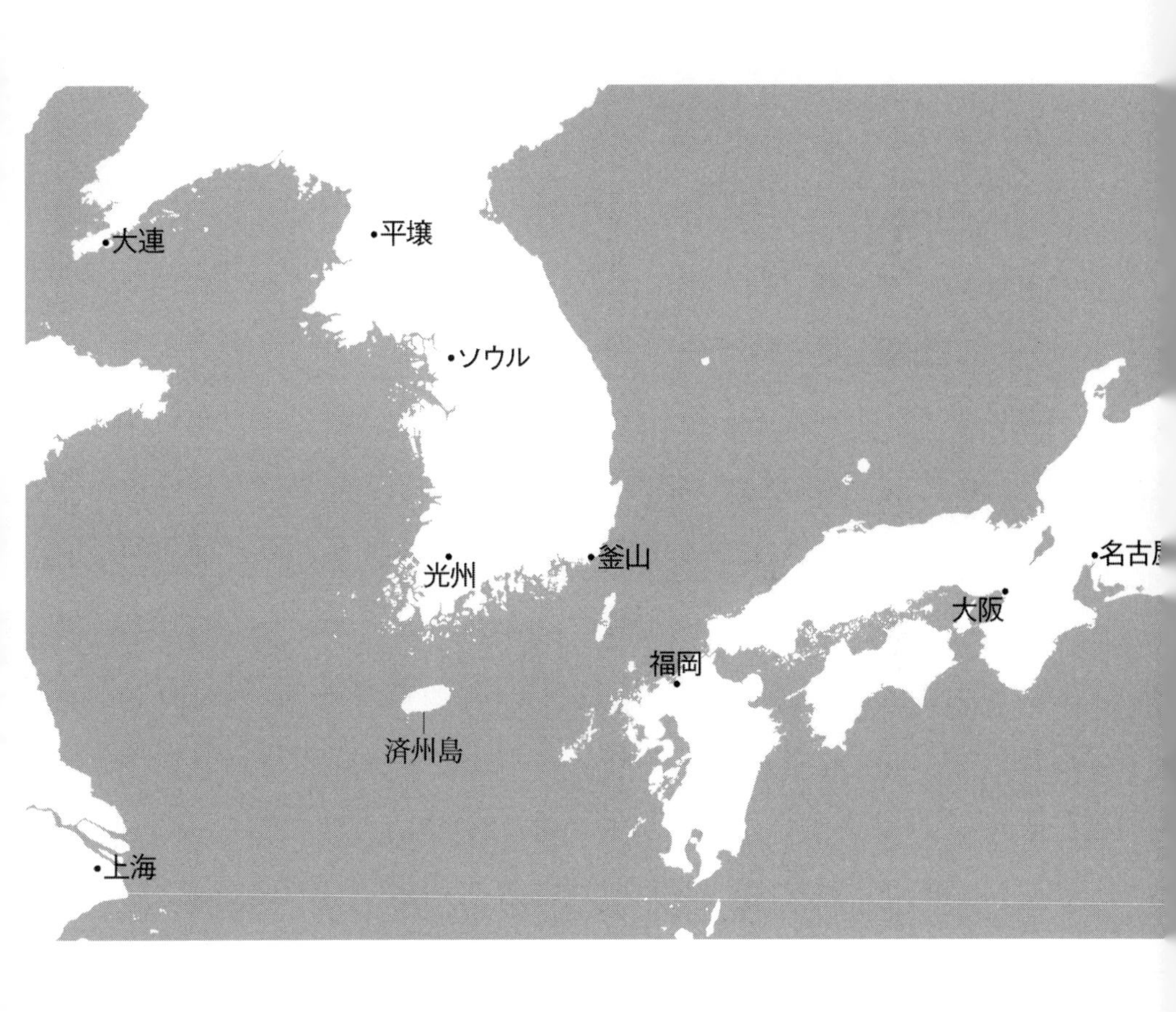
大連
平壌
ソウル
光州
釜山
済州島
福岡
大阪
名古
上海

牛島

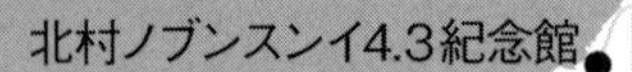

北村ノブンスンイ4.3紀念館

済州抗日紀念館

済州港

済州牧官衙

観徳亭

三姓穴

済州4.3平和公園

旧済州

済州国際空港
(旧ジョントル飛行場)

済 州 市

新済州

済 州 島

漢拏山

西 帰 浦 市

旧日本軍の掩体壕などが点在

大静アルトゥル飛行場跡

1　耽羅（たんら）の面影

済州島に向かう

ソウル金浦空港を離陸した韓国ＬＣＣジンエアーは、朝鮮半島の西海岸上空を一直線に南下した。陸地を抜けてやがて眼下に海が広がると、無数の島々が見えた。飛行機がゆっくりと旋回し、高度を下げ始めた頃、南方の海上に漢拏（ハルラ）山の優雅な姿が視界に飛び込んできた。済州島の中心にそびえる韓国最高峰（１９５０ｍ）の山である。

済州島は、漢拏山が１８０万年前に噴火して生まれた。つまり済州島は漢拏山とその裾野だ。海の近くに広がる平地には、顔にできた吹き出物のような小山がポコポコと点在している。これらは済州島が生まれる時にできた寄生火山であり、済州島ではオルムという。

上空から見ると、海底からマグマが吹き出して済州島が創造された様子が目に浮かぶ。まさにジオパークであり、世界自然遺産（「済州火山島と溶岩洞窟群」）に選ばれたのも分かる。

島の北側にある済州空港は大勢の旅客でごった返していた。ソウルと済州島を結ぶ路線は世界で最も忙しいと言われている。私が乗ったジンエアーも満席だった。

荷物をピックアップして空港内の観光案内所に向かった。しかし日本語の地図やパンフレットは品切れだと言われた。周りを見渡しても日本人と分かる観光客はいなかった。

この時（２０１９年８月末）はボイコット・ジャパンが盛り上がっていた。メディアは日韓関係が１９６５年の国交正常化以来最悪だと報じていた。慰安婦財団の解

三姓穴（サムソンヒョル）（삼성혈）の森の入り口に立つ石碑。古代国家「耽羅」の発祥地とあり、済州人のプライドを感じる。

トルハルバンを見ると済州島に来たと実感する。島の言葉で「石のおじいさん」を意味する。島内の至る所で出会える。

散（2018年11月）、韓国海軍艦艇による自衛隊機への火器管制レーダー照射（2018年12月）、そして徴用工問題など、お互いが激しく感情をむき出しにしていた時だった。2019年7月、日本政府が半導体材料3品目の輸出を個別許可制とすると韓国内の反日感情は頂点に達し、街は日本ボイコットを促す広告がはためき、日本製品の不買運動が盛り上がり、日本への渡航自粛が相次いだ。日本と済州島を結ぶフライトも減便となり、私は羽田から遠回りしてソウル経由で済州島に入らなくてはならなかった。

済州空港の賑わいは、おそらく夏休みの日本旅行をキャンセルし、代わりに済州島に来た韓国人が多かったからだろう。日本語のパンフレットがなかったのも日本ボイコットのひとつだったのだろうか。複雑な気分で旧済州市内のホテルに向かった。

三姓神話

以前から済州島には神秘的な生命力が漲るイメージを

勝手に抱いていた。済州島に関する本に必ず登場する三姓神話が想像を掻き立てるからだ。

マグマが海底から噴出して済州島が形成されたように、この島の最初の島民も、地面から噴き出て生まれてきた。この穴は雪が降っても積もらず、雨が降っても溜まらないという。彼らは高乙那（コウルナ）、良乙那（ヤンウルナ）、夫乙那（プウルナ）という名を持つ三神人であり、高・梁・夫という済州島特有の名字を持つ人たちの先祖となる。今から4300年前のことである。今も年に2回、この名字を持つ島民は、先祖が吹き出てきた三姓穴（サムソンヒョル）に集まって祭祀を行うが、残念ながらまだ私は見たことがない。

三姓穴は旧済州のKALホテル近くにある。上空から見るときれいな円形の森だった。入り口に「耽羅國發祥地」と赤字で大きく刻まれた石標が立っている。耽羅（タンラ）とは三神人が築いた古代国家の名称だ。

石標は神社の鳥居のような結界に思えた。一歩入ると、やはり鎮守の森のように清浄な空気が漂っていた。樹齢500年以上と推定される黒松や楠、ソメイヨシノの大木が生い茂っており、長年聖地として大切にされてきたことが分かる。

薄暗い森を抜けると太陽の光が差し込む広場に出た。その地面の中心がくぼんでおり、さらに3つの穴があった。ここから三神人が噴き出してきた。周りの木々が三姓穴に向かって頭を下げているかのようだった。

三神人はしばらく狩猟生活を送る。あるとき、済州島の東海岸に碧浪（へきろう）国の船が到着し、五穀の種や家畜、そして3人の姫が上陸した。船が着いた海岸は延婚浦と呼ばれ、上陸した際についた家畜の足跡も残っているという。

碧浪国とはどこなのか。朝鮮半島南西部沖に浮かぶ全羅南道の莞島（ワンド）という説と、日本という説がある。碧浪国が日本であったならば、済州島民と日本人は遠い親戚ということになる。

三神人は彼女たちと結婚し、弓を射て居住地域を定め、五穀の種を撒き、家畜を育て、子孫をもうけた。島内には彼らが婚姻前に斎戒沐浴した池や初夜を迎えた洞窟も残る。こうして古代国家耽羅王国が生まれた。

しかし、やはり朝鮮半島から迫ってくる政治的圧力は強かった。耽羅は百済に従属し、新羅が朝鮮半島を統

三姓穴。高乙那、良乙那、夫乙那の三神人が噴き出てきた穴。結界が張られており、神聖な空気が漂っている（済州 KAL ホテル近く）。

済州牧官衙（チェジュモックァナ）（제주목관아）にある「望京楼」。門前に観徳亭が立つ。裏手は済州北小学校。これらは後述する「三・一節発砲事件」の舞台となる。中央地下商店街や東門在来市場から徒歩数分。

一すると次は新羅に服属した。さらに、高麗（918～1312年）王朝が成立すると、ついに耽羅は耽羅郡とされ、13世紀には「島の国」の意味を持つ耽羅という名称すら奪われて、「大海を越える」という意味を持つ「済州」と名称を変えられた。国から辺境の島への格下げである。

その高麗も蒙古（元）の侵略を受けた。高麗は首都を江華島に移して抵抗するがやがて降伏、しかし軍事組織「三別抄」は高麗王の反対を押し切って抵抗を続け、全羅道の珍島、そして済州島を根拠地とした。しかし1273年、ついに元と高麗の大軍が済州島に押し寄せ、抵抗して粘ったが力尽きた。

元の支配を受け入れると多くの蒙古人が済州島に移住し、蒙古馬が放牧された。こうして済州島は馬の産地となった。今でも済州島言葉にはモンゴル語の名残が多いという。

耽羅と日本

旧済州市には、李氏朝鮮時代（1392〜1910年）の1448年に建てられた観徳亭と呼ばれる古い建物がある。近年、その隣に済州牧官衙が復元された。都から赴任してきた役人が島を統治する役所だった。

敷地内にはひときわ大きい2階建ての「望京楼」があった。解説には「王の恩徳に感謝して礼を捧げる場所」とあるが、本音では済州島赴任を命じた王を恨んでいたかもしれない。なぜなら朝鮮半島から海を隔てた済州島は政治犯の流刑地でもあり、役人たちは一刻も早く都に帰りたかったからである。

済州島は朝鮮王の威徳が届く限界の辺境だったが、視点を変えると、東アジア諸国の交差点でもあった。日本列島、そして中国大陸の中間に浮かぶことから、古代には日本の遣唐使船もしばしば寄港していた。『日本書記』には耽羅が何度も登場する。例えば661年には、遣唐使船が帰国時に立ち寄り、耽羅国王が阿波伎王子を同行させている。飛鳥の都で斉明天皇や中大兄皇子（後の天智天皇）に謁見したのだろうか。

7世紀後半から8世紀にかけて、耽羅が日本と積極的に交流したのは、百済滅亡を機に独立を図ったからなのかもしれない。738年にも耽羅人21人が周防国（山口）に到着して都に向かったという記録がある。

面白いことに、奈良の朝廷には、志摩国（三重）、肥後国（熊本）、豊後国（大分）などから「耽羅鰒」（アワビ）が納められた。済州島から持ってきたのではなく、日本列島に住む人たちが、ある種類のアワビに「耽羅」と名付けたのだろう。済州島の海女文化も何か関係があるのだろうか。千年以上も前のことであり、その実態は煙の向こうだが、いずれにせよ、日本と済州島との古代交流の豊富さには驚かされる。

日本統治時代末期――本土決戦の舞台として

済州島と日本は暗い歴史もある。1910年の日韓併合によって朝鮮は日本の統治下に置かれた。各地で反日・抗日運動が発生したのは周知の通りだが、済州島では特に激しかった。代表的なものとしては1931年末から翌年にかけて発生した「海女（ヘニョ）の反乱」がある。

太平洋戦争の末期には空襲の標的となり、被害者も出た。さらに済州島は、沖縄に続く本土決戦の舞台となるかもしれなかった。朝鮮半島と九州、そして日本列島と中国大陸の間に浮かぶため、敵の手に墜ちると日本への打撃は計り知れない。だからこそ、アメリカは必ず済州島を奪いに来るだろうと、日本軍の首脳は予想した。

1945年4月15日、日本陸軍は新たに第58軍を編成して済州島に配置し、徹底抗戦の準備を進めた。この軍は「砦」という通称号が与えられ、7万人近くまで膨れ上がった。

今でも済州島には日本軍が構築した海上特攻の陣地や地下壕が残る。島の南西部には滑走路の痕もある。現在、「アルトゥル飛行場」と呼ばれる滑走路跡付近には19もの掩体（戦闘機の格納庫）が姿を残している。海のすぐそばにあり、周りも平地なので、敵戦艦が艦砲射撃してきたら抵抗できなかっただろう。いったん敵の上陸を許し、オルムや漢拏山に立てこもってゲリラ戦を仕掛ける作戦だったのだろうが、その時は海岸付近の村々は、なすすべなく叩かれていただろう。

韓国人と話していると、よく「日本の降伏がもっと早ければ良かった」と言う。せめてあと2週間前に日本が降伏していたら、ソ連の北朝鮮進駐はなく、従って南北分断もなく、朝鮮戦争も発生していなかったという筋書きだ。

しかし、済州島に限っていえば、日本の降伏は遅くなかった。沖縄が経験したような本土決戦は回避することができた。済州島民にとっては不幸中の幸いだったが、もしかしたら地獄が先送りにされただけだったのかもしれない。戦後の済州島には新たな地獄が襲ってきたからである。四・三事件に他ならない。

風と石

済州島の特徴を示す言葉としてガイドブックに必ず登場するのが「三麗」「三多」「三無」というキーワードだ。「三麗」とは美しい自然、島民の美しい心、そして果実

ジョンナンとよばれる木の棒で、在宅や留守を示す。
済州道民俗自然史博物館（제주도민속자연사박물관）にて。

を指す。「三無」は家の門の扉、泥棒、物乞いがいないこと、そして「三多」は風・石・女が多いことを意味する。

風と石は、済州島を歩くとすぐ実感できる。風は常に吹いており、真夏日などは涼しくて心地よい。しかし、風は農家を苦しめてきた。せっかく蒔いた種を飛ばすからである。民族博物館では種を地中にしっかり埋めるためナンテというローラーを馬にひかせる農機具を展示していた。また、種播き後にはやはり馬を使って土を踏み固める作業もあった。作業工程が増えるのでさぞかし大変だっただろう。

また、石の多さも実感できる。漢拏山の噴火時に降ってきた黒い溶岩が至る所にある。家の土台や、石畳なども多孔質の石だ。畑も石垣で囲まれている。強風で土が飛ばされるのを防ぐためだ。よく見ると意図的に隙間がある。強風で石垣が倒れないためであり、適度に風を通すことで畑の虫除けにもなるからだと聞いた。島民の知恵と努力が感じられた。

しかし、火山島での農業はやはり条件が悪い。地中には硬い溶岩が埋まっているため、雨が続くと土壌が流され、地下水も留まらない。水道が整うのは最近のことであり、それまで重たい水瓶を背負って水を運ぶのは女性の役目だった。「三多」の「女が多い」というのは、女性が働き者だという意味のようである。済州島の女性たちに聞いたので間違いはないだろう。一方で、島の男性はあまり働かないらしい。これも済州島の女性たちに聞いた。

「三無」も済州島を歩くと実感できる。その象徴が古い農家などで見かける伝統的な「ジョンナン」だ。これは、自宅敷地の入り口に掛ける3本の横木を指す。本来は、放牧された牛や馬が家の中に入ってこないために設置した柵だった。門や扉をつくらずに、素朴な横木を柵としたのは、やはり風が強いからだという。

3本の棒はメッセージボードの役割も兼ねている。3本すべて外されていれば在宅、3本全て掛けられていると終日外出を示す。また、1本だけ掛けられていれば「外出中だがすぐ戻る」、2本だと「長時間の外出」を意味するという。

自宅の留守を外部に知らせたのは、やはり泥棒がいないからだろう。家を留守にする時は家の電気を付けっぱなしにして在宅を装う社会から来た私にとっては羨ましい。自然は厳しいが、島民は助け合って生きてきた。信頼関係によって結ばれているのであり、まさか隣人に対して盗みを働こうとは思わなかったのだろう。

四・三平和公園に刻まれた犠牲者の名前と命日。数え切れない数だ。

2　済州四・三の傷跡

四・三平和公園

済州空港の近くには旧済州と新済州という2つの大きな街がある。もちろん旧済州の方が古い。旧済州のシンボル観徳亭の向かいに建つロベロホテルにチェックインした後、すぐにタクシーに乗った。市街地を抜け、漢拏山に向かってなだらかな斜面を登るように進むと、20分程度で四・三平和公園に到着した。

タクシーを降りると、8月末の鋭い太陽が肌を刺したが、強い風が心地よかった。空気が澄みわたり、標高も少し高く、遠くに旧済州の街並みが見えた。街の向こうには済州海峡が青く続いていた。

平和公園は非常に広大だ。人影はほとんどなかった。敷地内にはいくつもの慰霊碑が立てられていた。それぞ

「帰天」。その名の通り、天に戻るための「寿衣」（死装束）が刻まれている。

れが過去の悲劇を伝えていた。

最初に「帰天」と名付けられた黒い石碑の前に立った。石碑には「寿衣（スウイ）」が刻まれてあった。寿衣とは死装束のことだ。

石碑は5柱あり、それぞれ異なるサイズの寿衣が描かれていた。外側には青年サイズの寿衣、次に少年サイズの寿衣、そして中央の石碑は性別も判別できない胎児用の小さな寿衣だった。母親とともに、まだこの世に生まれてくる前の胎児も殺されたからだ。

四・三事件では家族全員が殺されたり村全体が焼き払われた。遺体を埋葬すべき家族や隣人も殺された。当時の様子を描いた文章などを読むと、腐敗した死体があちこちに散乱し、放置され、乱雑に積まれていた。誰にも弔ってもらえないあわれな魂はどこにも行けず、その場にとどまるしかなかった。

こうした無数の死者に向けて準備したのがここに刻まれた寿衣だった。この前に立つと済州島全土から死者の魂が集まり、自分にふさわしいサイズの寿衣の前に立っている気配がする。人は自分の存在が忘れ去られること

広大な四・三平和公園の敷地を覆う墓標。遺族の元に還っていない犠牲者も多い。

を最も恐れる。ここに寿衣を刻んだのは、死者を決して忘れてはいないという生存者からのメッセージだろう。

さらに奥には、背丈ほどの高さがある石垣の壁が渦巻き状に積み上げられていた。円の中心に向かって歩くと、中心に「飛雪」と呼ばれる彫刻が現れた。母が幼い娘を抱きしめて膝をついている姿であった。これは、1949年の焦土化作戦で命を奪われた25歳の母と2歳の娘がモデルだという。生きる望みをすべて打ち砕かれて絶望を悟った瞬間の姿だった。当時の済州島にはこのような母子が多くいたのだろう（本章の扉参照）。

さきほど見た帰天は犠牲者の魂を慰めるためだとしても、この飛雪は違う。死者は命を奪われる瞬間を再び見たくない。おそらく、生きている人に叩き付けたメッセージだろう。直接的には無辜の命を奪った軍隊や警察、右翼に対し、さらには人類全体に向かって、幼い娘と若い母を無残に殺すことで得られる正義などこの世には存在しないと強烈に訴えている。

ジョントル飛行場と奉安所

「飛雪」からさらに奥に入り、外周の小道沿いを歩くと、平屋の建物があった。ジョントル飛行場の敷地から発掘された遺骨を祀る奉安所だった。

ジョントル飛行場とは、もともとは1942年に設けられた日本陸軍の飛行場であり、日本統治終焉後（韓国人は「解放後」と呼ぶ）にこの名称が付けられた。市街地に近く広大な敷地を持つこともあってのことだと思うが、四・三事件では処刑場となった。やはり遺体が散乱し、積み上げて放置されていたようだ。ちなみにジョントル飛行場は、今私が降り立った済州空港に他ならない。

1960年代初頭より、済州島は観光地として発展を始めた。来島する観光客は1961年には年間1万人に過ぎなかったが、1962年にソウルと済州島を結ぶ航空路が開設されたことで急増し、1966年には10万人、1977年には50万人、そして1983年には100万人を越えた（高野史男『済州島——日韓をむすぶ東シナ海の要石』中公新書、137頁）。そして2019年には1500万人に達している。

急増する観光需要に対応するため、2006年には済州空港の国内線旅客ターミナルが拡張された。その工事で四・三事件の犠牲者が地中から現れたのだった。そこで、2007年には発掘調査が2度実施され、約400体分の遺骨が掘り起こされた。しかし、身元が判明したのはわずか69体だった。これらの遺骨が納められているのが今から訪ねる奉安所である。

入り口に近づくと、自動ドアのガラス扉が開いた。すると、クーラーの冷気とともに線香の煙が流れてきて体を包んだ。他に見学者も係員もいなかった。ためらいながら玄関ホール右手にある展示室に向かった。中は遺骨発掘時の様子がジオラマで生々しく再現されていた。写真パネルに写る犠牲者の遺骨が同じ建物内に安置されている。そう思うと、立ち止まって解説パネルを読む心の余裕などなかった。ここは資料館であると同時に慰霊所だった。

2007年の発掘調査には、在日朝鮮人作家の金石範が立ち会った。その経緯は対談集『なぜ書き続けてきた

四・三平和公園内に建つ紀念館（博物館兼研究所）。日本から来たと告げると、日本語が話せるスタッフや参観客がいろいろ話しかけてくれた。済州島は日本語堪能な人が非常に多い。展示室も非常に立派で、じっくりと時間をかけて見学したい。（http://jeju43peace.org/）

か　なぜ沈黙してきたか――済州島四・三事件の記憶と文学』（平凡社、２０１５年）などに詳しい。該当部分を紹介したい。

朝鮮戦争の最中の１９５１年、日本にいた金石範は、済州島から逃れてきた叔母を迎えるために対馬を訪れた。叔母と無事に再会したとき、隣には、同じ済州島から逃れてきた26〜27歳ほどの女性がいた。彼女は警察の拷問で乳房を抉り取られ、留置場から逃れてきた。

金石範はこの女性から、同じ留置所に入れられていた白いタオルを持つ女性の話を聞いた。彼女は、自分のタオルを決して他人に貸さなかったため、他の囚人から嫌われていたらしい。

ある日、彼女は看守に名前を呼ばれた。最期の時が来たと悟り、看守に墨汁と墨を頼んだ。そして、大事に取っておいた例の白いタオルを取り出し、自分の名前、年齢、出身村名を書き、自分の太腿に結びつけた。

立命館大学の文京洙教授によれば、この留置場とは済州警察署であり、処刑場はジョントル飛行場であった可能性が高いという。そのため、金石範は済州空港の発掘現場を訪れて、墨文字が残る骨を探したのだった。タオルに墨文字を書いて太股に巻き付ければ、死後に肉がなくなると大腿骨に墨が移る。「処刑されて穴に埋められる時、いつか自分の名前が地上の光を受けると待ち望んだその日は、もしかして、今私がこの場所に立っているこの日になるのではないか」（212ページ）と一心に考えたが、墨文字が残る大腿骨を見つけることはできなかった。

　彼女がジョントル飛行場で最期を迎えていたならば、この奉安所に遺骨が納められているかもしれない。あるいは、今も済州空港の下で眠っているのかもしれない。滑走路の下には今も多くの遺骨が埋められているという。掘り起こすのは困難が多いだろう。

　冬山で遭難し、寒さに震えて歯を食いしばると、救出されてもしばらく口が開かないという。島民は恐怖と悲しさで長年歯を食いしばってきた。おそらく四・三事件から長い年月を生き抜く間、済州空港に多くの遺骨が埋まっていることを知りつつも、口を閉ざしながら、押し寄せる観光客を見てきたのだろう。飛行機が着地するたびに、滑走路の下から悲鳴を聞いていたかもしれない。

3　解放後の苦難

日本からの解放——新たな困難の始まり

いったい四・三事件とは何だったのか。1945年8月15日に日本が降伏し、植民地支配から解放された時、朝鮮全土には歓喜の声が覆ったはずである。それからわずか3年足らずで、なぜ済州島は地獄と化したのだろうか。

「ほとんどの朝鮮人にとって、日本の支配の幕切れはあっけなく、唐突でさえあった」（文京洙『新・韓国現代史』32ページ）。たとえ唐突の解放であっても、朝鮮半島は喜びの声で埋め尽くされ、太極旗があちこちで振られた。日本人警察の目を盗んでずっと隠し持っていたのだろう。

朝鮮のエリートたちは、新時代を自らの手で築こうと決意を新たにした。早くも8月15日には朝鮮建国準備委員会を立ち上げ、9月6日には呂運亨（ロ・ウニョン1886～1947年）をリーダーに朝鮮人民共和国を宣言、日本の植民地統治に貢献した役人や警察などの「親日派」を除き、人材を幅広く糾合した。

しかし、朝鮮の運命は、朝鮮人の意思とは無関係に決められていった。朝鮮国土は南北に区切られ、北部にはソ連が進駐して8月26日に軍政を始めた。一方の南部にはアメリカが進駐し、9月9日に最後の朝鮮総督阿部信行（1875～1953年）が降伏文書にサインすると、アメリカは直ちに軍政を敷いた。

当初、南朝鮮の人々はアメリカを歓迎した。日本を打倒して朝鮮を解放してくれたと思ったからである。四・三平和公園内の紀念館にも、アメリカを歓迎する光景を写した映像が展示されてあった。

終戦直後、朝鮮を解放してくれたとして、アメリカをはじめとする連合国を歓迎するポスターや横断幕などがソウル市に見られた。しかしアメリカは軍政を開始、解放後はただちに独立できるとの期待は裏切られた。

しかし、アメリカが日本を叩きのめしたのは朝鮮解放のためではなかった。むしろ朝鮮を敵国日本の一部と見ていた。そのためアメリカは、南朝鮮では解放者ではなく占領者として振る舞った。そして朝鮮の人々が自らの意思で決めた朝鮮人民共和国を否定し、アメリカ軍政が唯一の政府だと宣告し、日本が植民地時代に築いた統治機構と行政経験豊富な「親日派」を活用した。これを見た朝鮮人は、自分たちがいまだに植民地支配から抜け出せてはおらず、支配者が日本からアメリカに移っただけだと思った。

南朝鮮における単独選挙

もちろんアメリカは、朝鮮に独立国家が樹立されることを望んでいた。例えばカイロ宣言（1943年12月）では、朝鮮人民の奴隷状態に留意し、やがて朝鮮を自由な独立国にすると英中両国との間で合意した。終戦後の1945年12月にモスクワで開催された米英ソ外相会談においては、朝鮮人自身の独立国家ができるまで朝鮮半島を国際管理下（信託統治）に置くと決めた。

問題は、日本が去った後に新しく創設される朝鮮政府の形だった。アメリカは悩んだ。なぜなら朝鮮半島は南北に分断され、しかもアメリカが軍政を敷いている南朝鮮においても左派勢力が優勢であり、下手をすると、朝鮮半島全域に親ソ・反米政権が誕生するかもしれないからだ。アメリカがもっとも恐れるシナリオだった。

この心配がアメリカの朝鮮政策を動かした。トルーマン宣言（１９４７年3月）直後の5月、アメリカとソ連は共同委員会を再開した。しかし、やはり合意には至らず、10月に決裂した。

アメリカは、朝鮮半島の将来を国連に委ねた。翌月、国連は全朝鮮での選挙を決定するが、ソ連は反対して選挙関係者の入境を拒んだ。するとアメリカはついにソ連との協調を諦め、南朝鮮単独での選挙断行を決定した。

単独選挙が実現すると、南朝鮮には新政府が生まれることになる。そうなれば朝鮮の南北分断は恒久化する。朝鮮半島の運命を大きく規定する決断だった。

アメリカは、単独選挙によってソ連に親しみを持つ左翼勢力の排除を狙ったのだが、南朝鮮内でも単独選挙反対の声は強かった。その中心は、１９４６年9月に朝鮮共産党ら左派勢力が結集してできた南朝鮮労働者党（南労党）だった。

朴憲永（パク・ホニョン、１９００〜１９５６年）をリーダーとする南労党は、10月、アメリカ軍政への不満を表明して大規模ゼネストを展開した（10月人民抗争）。しかし、アメリカ軍政やその下の警察、反共主義の右翼団体は、これを徹底的に鎮圧した。ただし、10月人民抗争に参加しなかった済州島の南労党は勢力を温存した。

4　済州島で何が起きたのか

三・一節発砲事件

1947年3月1日、済州島で発砲事件が起こった。場所は旧済州の観徳亭付近だった。この日は三・一節記念日で、済州牧官衙の北側にある済州北小学校で記念式典が行われた。参集した島民は3万人。済州島では異例の多さだった。

島民は多くの不安に直面していた。植民地からの解放には歓喜したが、そのかわりとして日本との経済関係が断たれた。その上、日本から3万人超が帰国したことで食料不足が懸念された。また、アメリカ軍政の経済失策も相次いだ。前年8月に発生したコレラでは約300人の命が奪われた。

この式典はアメリカ軍政に批判的な南労党が主導したが、済州島民は必ずしも南労党に同調していたわけではない。それでも式典に参加したのは、経済社会の不安に駆られ、情報を求めるため、あるいは自己の要求を訴えるためであった。

記念式典が終わり、人々が街頭に出た時であった。観徳亭前の広場で、騎馬警官の馬が幼児を蹴った。しかし、警官は気づかずに立ち去ろうとした。これを見ていた人々が怒り出した。すると、暴徒が襲ってくると勘違いしたのか、隣接する警察署から発砲音が聞こえた。これにより、何の罪もない人たちが6人死亡し、6人が重傷を負った。

さらに悲劇が続いた。負傷者が病院に運ばれると、血だらけの姿を見た警官が動転して銃を乱射し、やはり全く関係のない2人の通行人に大けがを負わせたのである。

観徳亭（クァンドクチョン）（관덕정）。済州牧官衙の前に立つ済州市のシンボル的存在である。15世紀に済州牧使が軍人精神涵養を目的に建てた。1947年3月1日の三・一節発砲事件当時は、大通りを挟んで観徳亭の向かい側にあるロベロホテルの場所に警察署があった。また観徳亭は、1949年6月7日に射殺された武装隊の司令官李徳九の遺体が晒された地でもあった。これにより、武装蜂起は下火になった。四・三事件のはじめと終わりを見届けた地であるといえる。

それでも警察は、観徳亭前広場における発砲事件を不問に付した。それどころか、三・一節記念日の記念行事を運営した南労党員を逮捕し始めた。島民は反発し、警察と、その背後に立つアメリカ軍政を非難した。さらには、南労党の指揮の下、済州島は大規模ゼネストに突入したのである。

なぜ警察は、島民に対して冷酷で高圧的だったのか。その理由は、彼らの多くが朝鮮半島出身であり済州島民に偏見や差別意識を抱いていたこと、「済州島民のほとんどは共産主義者だ」と吹き込まれていたことなどが考えられる。

また、アメリカ軍政は西北（ソボク）や西青（ソチョン）と言われた西北青年会を済州島に送り込んだ。彼らは北朝鮮から逃げてきた人たちであった。ソ連軍政下の土地改革や財産没収で苦しめられたため、共産主義者に対しては容赦ない行動を取った。あらゆる文献は、粗暴で残虐な右翼集団として描いている。そんな彼らをアメリカ軍政や警察は大いに利用した。

済州島民は警察に不当に逮捕され、西青らの暴力に苦しめられた。済州島は火山島であるため、自然の洞窟が多くある。そこで島民たちは山に避難した。その一方で、警察・警備隊・右翼団体などの軍政側につく島民もいた。中途半端な態度では双方から疑われたからである。殺伐とした島から日本に逃れる人も増えた。

1948年4月3日

三・一節発砲事件で爆発した島民の怒りはアメリカ軍政に向かい、大規模ゼネストをもたらした。そして、これを抑える警察や右翼団体の暴行などに島民は苦しみ、済州島は荒れた。さらに11月、より対立を激化させる出来事があった。既述の通り、南朝鮮の単独選挙が決定されたのであった。

済州島の南労党は、単独選挙を阻止すべく一段と過激な行動に出た。1948年4月3日未明のことだった。漢拏山に立てこもっていた南労党300人は、警察署や右翼幹部の事務所などを襲った。彼らは武装隊といわれるが、その名とは異なり武器は実に貧弱だった。日本軍が残していった99式小銃約30丁の他には、竹槍、斧、そして鎌だった。決起文は、南朝鮮の単独選挙反対、祖国統一と独立、完全な民族解放、そしてアメリカ軍政とその手下の暴行阻止を目的に掲げていた。

この時はまだ平和への可能性があった。南労党武装隊司令官の金達三と、アメリカ軍政下で設立された南朝鮮国防警備隊（韓国建国後は国軍となる）第9連隊の金益烈連隊長が、議論の末、和平条件に合意したからであった。もしこれが尊重されていれば、さらなる事態悪化を食い止めることができたかもしれない。

しかし、アメリカ軍政は和平合意に反対し、金益烈を解任して朴珍景を後任に据えた。彼は「暴動事件を鎮圧するためには、済州島民30万人を犠牲にしてもかまわない」と公言したことで知られている。アメリカ軍政は続々と警備隊や警察、そして西青など右翼部隊を済州島に送り込み、和平条件を信じて山から下りてくる武装隊を逮捕して殺害した。

朴珍景は1920年、済州島から海を隔てた慶尚南道南海郡に生まれた。大阪外国語学校（後の大阪外国語大学）で英語を学び、学徒兵として済州島の日本陸軍に配属され、ここで終戦を迎えた。解放後は南朝鮮国防警備隊に入隊、英語が堪能ということからアメリカ軍政に重宝され、軍政長官ディーンの寵愛を受けたという。

1948年6月、朴珍景は部下に殺された。すると1952年、「済州島民及び軍警援護会」が彼の追悼碑を建てた。そこには「済州共匪の掃討のために昼夜を忘れ、守道為民の衷情をもって先頭に立って指揮を執っているうちに、不幸にも壮烈に散華された」と刻まれている。こうして「共匪」討伐の英雄とされた。また、彼の故郷である南海郡にも銅像が建てられた。近年、この銅像の是非を巡り、様々な論争がある。過去をどう見るか、論争はまだ終わっていない。

板挟みの人々

武装隊は島民に選挙ボイコットを強いた。また、選挙準備を実力で妨害した。そのため、5月10日の選挙では、済州島にある3選挙区のうち、2選挙区で無効となった。アメリカ軍政の威信は低下した。

一方で、討伐隊（警察や軍隊などからなるアメリカ軍政側の実力部隊）は、武装隊を鎮圧するだけではなかった。島民にも容赦なかった。彼らには、武装隊も島民も同じ「アカ」に見えたのだった。

8月15日、単独選挙で選ばれた議員によって構成された制憲国会は、李承晩を初代大統領とする大韓民国を建国した。しかし済州島の衝突は収まる気配がなかった。討伐隊はついに「無差別逮捕作戦」に出た。島民は恐怖し、さらに山へと逃亡した。

10月には、朝鮮半島から済州島に投入されるはずの部隊が反抗し、新生韓国の存在を脅かした。反乱を起こしたのは全羅南道の麗水・順天の部隊であったため、麗順（ヨスン）事件と呼ばれる。この反乱は韓国内における南労党シンパの多さを改めて示した。

済州島の南労党を鎮圧するため、韓国はもはや手段を選ばなくなった。10月17日、「売国極烈分子」掃討のため、済州島の海岸線から5キロ以外の地点及び山岳地帯の不許可通行禁止令を布告し、違反者は「その理由のいかん

武装隊が蜂起した時に持っていた武器。「武装隊」というにはあまりにも貧弱な武器と言わざるを得ない（済州四・三平和公園の展示室にて）。

済州島のオルム（寄生火山）はトレッキングで人気がある。1992 年 4 月、済州島東北部にあるタランシオルムの麓の洞窟から、子供 1 人を含む計 11 人の遺骨（女性 3 人）が発見された。彼らは四・三事件当時の避難民だった。1948 年 12 月 8 日に見つかると、討伐隊は洞窟に手榴弾を投げ込み、入口付近に火を付けた。発見後は明るい場所に埋葬するべきとの声が出たが、遺骨はいつの間にか火葬されて粉砕後に海に撒かれた。洞窟は閉鎖された。済州四・三平和公園の展示室には発見時の様子が詳細に再現されたジオラマがある。

北村ノブンスンイ 4・3 紀念館（너븐숭이 4・3 기념관）朝天邑北村里にある紀念館。

にかかわらず、暴徒の輩と見なし、銃殺の刑に処す」と布告した。こうして無差別殺戮が正当化された。

犠牲者のほとんどは普通の島民だった。彼らは警察などの討伐隊と島民からなる武装隊の狭間で翻弄された。例えば討伐隊が村に来て人数を数え、数が足りないとなると、武装隊に入ったとして村民を殺した。その一方で、夜になると武装隊が村に戻り、人々に入山を要求した。

四・三事件とその後の時代を生々しく描いた小説作品に『順伊おばさん』（玄基榮著、金石範訳、新幹社、2012年）がある。まだ四・三事件がタブーであった時代に書いたため、筆者は警察で拷問を受けている。

本書は武装隊と討伐隊の狭間で苦しんだ島民の苦悩を綴っている。

例えば、登場人物の一人である「大叔父」の村から武装隊に入った若者たちがいた。若者たちは夜中に下山して村に戻り、大叔父に食料を要求した。しかし、武装隊に食料を提供したことが警察に知られると、「共匪」を助けた村として焼き討ちに遭うかもしれない。そこで大叔父は「頼むからな、米を集めてくれと言わんで、無理

紀念館の隣に立つ慰霊碑。想像以上に大きい。

矢理ひったくって行ってくれ」と懇願した。すると武装隊は彼の胸を竹槍で突き刺して逃げた。

悲劇はまだ続いた。武装隊が村に戻っていたことが警察に知られた。しかし村の食料が略奪されていないことから、「共匪と内通している」と判断されたのであった。その結果、村がすべて焼き払われた。

北村里と順伊おばさん

北村里は、旧済州市からバスで20分ほど東に向かうと着く小さな村だった。一周道路沿いにあり、小さな漁港もある。ペンションもいくつかあり、小旅行で海辺の田舎を満喫するには理想的だ。

このどかな村にも残酷な過去があった。まずは紀念館を訪ねた。玄関ホールには、血まみれで倒れた母にしがみつく子供の絵があった。視聴覚ホールで紹介ビデオを見せてもらい、展示室に入ると、北村里で発生した事件の年表が掲示されていた。

「順伊おばさん」の石碑と、遺体が発見されたときの姿を再現した石像がある。

1947年8月13日
警察がビラを貼り付けている人たちに発砲、3人負傷。
1948年4月21日
武装隊が北村里の選挙事務所を襲撃。書類等を奪う。
1948年6月16日
武装隊が警官2人を殺害。
1948年12月16日
兵士が民間人24人を殺害。
1949年1月17日
武装隊が兵士2人を殺害。軍隊が村民300人を虐殺。

係員の女性は「今日は日本語のできる係員がいないのでごめんなさい」と英語で丁寧に挨拶してくれた。村には大阪の鶴橋で住んでいた人もいるらしい。

彼女の案内で建物の外に出た。駐車場を越え、向かい側の植え込みがある黒い土を示しながら、「ここに虐殺された子供たちが今も埋められている」と教えてくれた。茂みの奥を進むと、一周道路の手間に小さな広場があった。そこには「順伊(スニ)おばさん」と書かれた石碑があった。

上：紀念館隣の土の下には犠牲者の子どもの遺体がまだ埋まっている。虐殺後、生存者がこの場に仮埋葬したのだが、現在まで手が付けられていないという。

下：済州島でよく見かける防邪塔。悪い運気を村に寄せつけないため、背丈より高く石を積み上げる風習だが、北村里で見た防邪塔は無残に殺された子供たちを慰める慰霊塔となっていた。

順伊おばさんは56歳の時、この場所で自ら命を絶った。遺体は20日以上も見つからなかった。発見時、周囲には青酸カリの粒が転がっていたが、遺書はなかった。ここは彼女の畑で、日の当たるところで寝ていた。

この自死から30年前の１９４９年1月17日、まさにこの場所で虐殺があった。順伊おばさんは同じ畑の上で、他の大勢の人とともに銃を向けられた。射殺の直前、気を失ってその場に崩れ落ちた。気を取り戻した時、彼女の上には遺体が重なっていた。翌年、この畑からたくさんの芋が採れた。しかし、腐った死体の血肉を肥料とした芋だと言われた。

順伊おばさんの傷ついた心は最期の時まで癒されなかった。小説の主人公「私」は彼女の死を知った時、「順伊おばさんは1か月半前に死んだのではなく、すでに30年前のその日、その畑で死んだ」と考えた。虐殺から奇跡的に一命をとりとめたが、残酷にも心は殺されてしまっていたのだ。

再び紀念館に戻り、村に残る四・三事件の傷跡を教えてもらった。10分ほど歩くと漁港に出た。日本統治時代に整備された防波堤があり、その上に灯台の台座があったようで、古い石碑が立っていた。そこには四・三事件でついた弾痕があった。

海岸を西に向かって歩くとモンジュギアルと呼ばれる絶壁があった。麓には米軍との決戦に備えて日本軍が掘った洞窟が残っている。ここに隠れた村民も発見され

近くの港には、日本統治時代に立てられた大正天皇の即位（大正4年11月）を記念した灯明台の石碑が残る。銃弾の痕は、四・三事件の時についたらしい。この石碑に偶然命中したのか、植民地の残滓として撃ち込まれたのかは分からない。

て殺された。

1月17日になると、各家で法事が執り行われる。その数があまりにも多いため、あたかも村の年中行事のように見えるらしい。

白碑――済州四・三の評価を巡って

冒頭でも触れたが、四・三事件に対する社会の姿勢は変化した。しかし、やはり超えられない一線がある。

例えば2015年4月13日の『朝鮮日報』(日本語ウェブ版)は、金石範が「済州四・三平和賞」第1回受賞者に選ばれたと報じつつも、彼を批判していた。なぜなら金石範は5月30日の単独選挙で生まれた大韓民国を「親日派の民族反逆者勢力に基づき構成された政府」と糾弾し、四・三事件は「国内外の侵攻者に対する防御抗争」「祖国統一のための愛国闘争」だったと主張したからである。

金石範の発言に関して『朝鮮日報』は「北朝鮮の主張と完全に一致している」と非難し、韓国政府が4月3日を国家追悼日としたのは「罪のない犠牲者を慰めるため」であり、「大韓民国建国に反対した武装蜂起を正当化するためでは絶対にない」と力を込めた。そして、金石範がかつては朝鮮総連(北朝鮮)の機関誌『朝鮮新報』の記者だったとして、「四・三平和賞が北朝鮮と同じ主張を持つ人間に与えられるのであれば、この賞に1ウォンたりとも国民の税金を使うべきではない」と激しい。

もちろん、歩み寄りも見られる。例えば2019年4月3日にソウルで行われた追悼式で、警察と国防省が犠牲者に初めて謝罪した。警察庁長官は「再びこのような悲劇が繰り返さないように国民に献身する警察に生まれ変わる」と言った。しかし、事件の経緯や責任論の言及はない。

四・三平和公園の紀念館に入ると、展示室まで暗く長い洞窟が続いている。武装隊や島民が逃げ隠れた洞窟の再現である。

その先に大きな空間があり、中央には白い石が置かれている。これは「白碑」と名付けられていた。つまり未完成の碑である。四・三事件は蜂起・抗争・暴動・事態・

事件など、いろいろな呼ばれ方をしてきた。それぞれの呼び方は、それぞれの立場や解釈を反映している。しかし、みんなが納得する名称はまだない。だから白碑なのである。最近では「暴動」や「抗争」ではなく中立に立つ「済州四・三」という呼び方も広がっている。

私には白碑が棺桶に見えた。何も刻まれていないのは、無残に殺された多くの人がまだ埋もれたままであり、棺に収められていないからだとも思った。

白碑。筆者には棺桶にも見えた。まだ発見されずに土の下に眠る犠牲者が多いという話を聞いたからだろう。

この紀念館では日本語のパンフレットがあった。韓国語のできない「在日同胞」が多く参観するからとのことだった。付近にいた数人の若者がコーヒーを奢ってくれた。彼らは日本語ができなかったが、親戚が大阪の生野区に住んでいるらしく、話が弾んだ。

展示室にも大阪の鶴橋と済州島の関係が解説されていた。そこには「地理的には近いが、感情的には遠い」と書かれていた。

5　大阪・鶴橋と済州島

済州島から再びソウル経由で関空に戻り、大阪市内の鶴橋に向かった。戦前から今に至るまで、済州島にルーツを持つ人たちが多く住む街だ。

鶴橋には思い出がある。神戸に生まれ育った私は、母の実家がある奈良を訪ねる時、必ず鶴橋を通過していた。大阪環状線を降り、ＪＲ鶴橋駅（当時は国鉄だったが）の3階から2階の近鉄プラットフォームに降りると、駅の下を埋め尽くす焼肉屋の匂いがしてきた。今も昔も変わらない。変わったのは焼肉とキムチの匂いが２００１年の環境省「かおり風景百選」に選ばれたことぐらいだ。

幼い頃の私にとって、駅の下は異次元の世界だった。焼肉屋をはじめとする韓国料理やキムチ店、チョゴリなどを売る民族衣装屋、魚屋などが連なり、カオリフェ（エイの刺身を発酵させた済州島の料理）の匂いに驚いた。

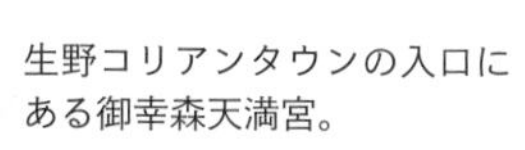

生野コリアンタウンの入口にある御幸森天満宮。

境内には仁徳天皇即位を春の到来になぞらえて祝った「難波津の歌」（難波津に　咲くやこの花冬籠り　今は春べと咲くやこの花）の歌碑が立つ。

古今和歌集の仮名序にあり、手習いの歌としても有名で、大阪市の此花区と浪速区の地名の由来ともなった。作者の王仁（生没年不詳）は応神天皇の時代に百済から渡来（中国大陸にルーツを持つという説も）。石碑には万葉仮名、平仮名、そして江戸時代に対馬の通訳が朝鮮通信使に送ったハングル表記が並ぶ。

ハルモニが売る甘鯛の開きは済州島のチェサ（祭祀）に欠かせない。今も戦後のヤミ市の空気が残るのは、土地の所有者が何人も済州島にいて再開発がはかどらないことも一因らしい。

鶴橋駅から南東に歩くと生野コリアンタウンがある。韓流ブームに乗って街を整備した商店街だが、今も昔の生活臭が漂う。トルハルバンや、済州島に固有の名字「高」さんのキムチ店など、至る所でここに生きる人たちのルーツが確認できる。

代書屋

鶴橋駅は生野区のイメージが強いが、天王寺区や東成区にも接しており、東成区役所には徒歩10分ほどで着く。２００９年、この役所の前に記念碑が立った。そこには「儲かった日も　代書屋の同じ顔　四代目　桂米團治　中濱代書事務所ノ地」と刻まれている。１９３８年に4代目桂米團治（本名中濱健三、１８９６〜１９５１年）がこの地で代書屋を開いたことを示す碑であり、序幕式

東成区役所前に立つ「代書屋」の石碑。

には桂米朝や五代目桂米團治らも参列した。

代書屋とは今の行政書士のようだが、やはり少し違う。当時は文字を書ける人が少なかった。そのため、履歴書や行政書類が必要な時は代書屋に依頼した。4代目桂米團治は、代書屋としてこの地でいろんな人に接し、1939年発表の落語「代書屋」の材料とした。

例えば兄に手紙を書く人がいる。「お前、文字が書けるのか」と驚く人に向かって、「俺は文字が書けないが兄貴も文字を読めない」と答えたりする。他にも、履歴書が必要となった客が登場する。履歴書が何であるか知らない。そこで、「家に履歴書がないので隣に尋ねると、家中を探してくれたが出てこなかった」などと言う。代書屋の客はユーモラスで少し間抜けだった。

その客に済州島出身の朝鮮人がいた。「トッコンショーメースルカ」と尋ねてくるが代書屋は意味が分からない。すると「イモートさん、コント内地きてボーセキてチョコさんになるのです」と言う。済州島に住む妹が、今度紡績工場の女工になるため内地（日本）に来るので「渡航証明」を書いてほしいという依頼だった。

「トッコンショーメー」が渡航証明だと分かった代書屋は「えー渡航証明の書類ここにあったな」と言っている。この手の依頼は珍しくはなかったのだろう。落語には済州島の言葉も出てくる。

今はさすがにこの落語に済州島の客は登場しないようだが、鶴橋に島民が多く住んでいることが戦前から周知の事実だったことを物語る。落語ではユーモアたっぷりに描かれているが、実際のところはどのような生活を送っていたのだろうか。

戦前の鶴橋と済州島民

1922年10月、済州島と大阪をダイレクトに結ぶ定期船「君が代丸」が開通した。これまで釜山や下関を経由していた時と比べて、大阪までの時間も料金も大幅に節約できた。大阪へ向かう島民も増え、1934年には島民のおよそ4分の1にあたる5万人が日本に来た。その大多数が鶴橋近辺に住んだ。

日本に来たのはやはり経済的な理由が多い。済州島に

猪飼野地域を南北に流れる平野川。百済川ともいう。かつてこの地域は大雨が降るとすぐに氾濫したため、大正年間に新たに設けられたのが平野川である。労働者の大半は朝鮮人であった。平野川工事を機に付近に朝鮮人街ができたといわれているが、実際に工事に携わった朝鮮人は慶尚道出身者が多く、しかも彼らは飯場に住み、工事現場を求めて移動したため、猪飼野の朝鮮人街形成とはあまり関係がないとの指摘もある。

は仕事が少なく、工業化が進む大阪で安価な労働力となった。済州島まで出向いた日本人ブローカーもいた。その他、土地整理などで土地を失った人、学生や独立運動家、嫁ぎ先から逃げてきた女性など、実に多様だった。鶴橋以外には海女も来たようだ。

金賛汀著『異邦人は君ヶ代丸に乗って――朝鮮人街猪飼野の形成史』（岩波新書、1985年）は鶴橋付近に住んだ済州島民の生活を生々しく描いている。猪飼野とは今の鶴橋地域の旧名である。

1世や2世の証言を丹念に集めた本書によれば、戦前の鶴橋で朝鮮人が部屋を借りることは非常に困難だった。理由は「朝鮮人は家賃未払いが多い」からであった。しかし1930年の大阪市作成資料は、日本人の方が家賃の未払いが多いことを示している。つまり、朝鮮人に家を貸したくない日本人が悪評を流したようだ。また、朝鮮人を「乱暴」「文化意識低く、不潔」とも見ていた。

やむを得ず廃墟や家畜小屋、鶏小屋などに住む朝鮮人もいた。鶏小屋に住んでいるところを所有者に見つけられて家賃を請求された人もいた。「犬と朝鮮人おことわり」と借家に張り紙をする日本人家主もいた。そのため、大雨が降ると床上浸水するような湿地帯に住まざるを得なかった。

太平洋戦争が始まり、日本人が疎開して空き家が出ると、ようやく入居を許された。しかし、一度朝鮮人が入居すると、その家には日本人の借り手が付かなかった。そのため、次も朝鮮人が入居した。こうして朝鮮人街ができていった。

済州島民は朝鮮半島本土（済州島民は「陸地」と呼ぶ）出身者からも差別を受けた。両者の対立は激しく、1925年10月の大乱闘では陸地側に死者が出た。これがきっかけで鶴橋近辺は済州島出身者が占め、陸地の人はあまり近づかなくなったという。

日本が敗北すると、鶴橋に住む島民の多くは故郷に帰った。解放された祖国の建設に貢献しようと理想を燃やす人もいたであろうが、実際のところは、敗戦で日本での生活が行き詰まったのが実情のようだ。

済州島民が生きる場所

済州島で生まれた在日朝鮮人の詩人金時鐘（1929年生まれ）に、『朝鮮と日本に生きる――済州島から猪飼野へ』（岩波新書、2015年）という本がある。私は、この本に全身で向き合ってみた。皇国少年として育ち、解放後に済州島の南労党に入り、四・三事件では多くの死を見てきた。いよいよ身に危険が迫り、日本への亡命を決意し、済州島を離れようとする時、父に「これは最後の、最後の頼みでもある。たとえ死んでも、ワシの目の届くところでだけは死んでくれるな。お母さんも同じ思いだ」と言われた。これが今生の別れだった。

亡命船に乗り込み、韓国の警備船に怯え、生死の境を彷徨いつつ、なんとか日本に辿り着いた。神戸市の舞子海岸辺りのようだ。そこから大阪の鶴橋に向かい、同じ済州島民に助けられつつ、「在日」として生きてきた。

感情を抑えた文体で綴られているが、ただ圧倒された。多くの印象的な記述があり、いちいち挙げていくとキリがない。

それでも、一つだけ紹介したい。それは、金時鐘が猪飼野に住み始めた頃、雨の日のことだった。彼は「こうもり傘直しーぃィィ」という声を聞いた。「語尾を長く引く独得な叫び声で、ひと声で日本人でないことが分かる物売りの声」だった。声の主は、「風采のあがらない初老の男が片足を引きずるようにして、傘直しにしては傘もささずに古い傘を二、三本肩に束ねて」路地を歩いていた。

金時鐘がその声に驚いたのは、かつて済州島の街中（「城内（ソンネ）」）で聞いていたからだった。日本が敗北し、朝鮮が解放され、日本語が排斥された中でも、このこうもり傘直しの男性は、「半ば呻くようななんとも耳障りな売り声の日本語」で売り歩いていたという。

済州島でも日本でも、社会の最底辺に這い、生きるために毎日を生きる人たち。彼らもまた、時代の激動に翻弄され、済州島と日本を往来した。四・三事件が始まると、生きるために故郷を捨てて日本に渡ってきた。金時鐘は「逃げを打った」と自分を責めるが、日本に来ても生きるための闘いは続いた。貧困と差別も待っていた。

1973年まで、生野区の鶴橋や桃谷付近は「猪飼野」と呼ばれていた。地名の由来を遡ると、仁徳天皇の時代に「猪」を飼う民が多く居住していたからだとされている。「猪」とは渡来人が持ち込んだ豚であった。彼らは飼育に必要な技術や経験も有していた。朝鮮半島とこれほど縁がある土地も珍しい。しかし、古代では技術集団として歓迎されたが、近代では差別の対象となった。

金時鐘（キム シジョン）の『猪飼野詩集』では、「見えない街」という詩がある。

　なくても　ある町。
　そのままのままで　なくなっている町。
　電車はなるたけ　遠くを走り
　火葬場だけは　すぐそこに　しつらえてある町。
　みんなが知っていて　地図になく
　地図にないから　日本でなく
　日本でないから　消えててもよく……

金時鐘『猪飼野詩集』（岩波書店、2013年）

猪飼野という地名は1973年になくなった。この地名が持つ印象が悪く、差別の対象になったり地価が上がらないといった苦情を日本人住民が訴えたからであるとも言われるが、正確な理由は分からない。今も平野川には「猪飼野新橋」がかかり、今里筋には「猪飼野橋交差点」があるなど、猪飼野の名前はわずかだが残る。

そして1950年6月に朝鮮戦争が始まった。四・三事件から逃れてきた島民の中には、祖国を分断する単独選挙を断行するために、これに反対する人々を殺し、さらには何の罪もない自分の家族や仲間も殺した大韓民国を許さず、朝鮮民主主義人民共和国（北朝鮮）に理想を抱く人もいた。韓国籍も北朝鮮籍も選ばず、日本国籍ではなくなったという意味の「朝鮮籍」に留まる人もいた。

四・三事件が一段落し、朝鮮戦争も停戦し、やがて韓国は最貧国から高度経済成長の道を歩み始めた。済州島からソウルに進学し、就職してソウルで家庭を築く若者も増えた。

しかし、済州島出身者にとって、故郷は常に心の底に重くのしかかっていた。例えば小説『順伊おばさん』には、ソウル出身の女性と結婚した済州島の男性が「新婚当初、妻がなんかの折りに取ってきた戸籍妙本に、彼女の本籍が夫の本籍である済州島と記載されている当然のことをもって、すごく驚いた表情をして見せた」と振り返る場面がある。その時、この男性は「羞恥」を感じたという。島を離れて暮らしても、済州島は忘れてしまいたい故郷であった。

鶴橋から少し離れた天王寺区の統国寺には、四・三事件の犠牲者を弔う慰霊碑が建つ。大阪が四・三事件から逃れてきた人にとっても、あるいは新たに生まれてきた人にとっても、良き故郷であって欲しいと思う。そのためには、私たち日本人も多くのことが試されている。

旅を終えて

カンボジアのプノンペン、台湾の緑島、そして韓国の済州島を歩き、最後に鶴橋に帰ってきた。何気なく本屋に立ち寄ると、コロナ禍で見られた日本人の「同調圧力」がテーマの本が目についた。周囲の人と同じでないと不安を抱き、周囲と異なる人を非難する、しかもこれが正義だと信じる力のことらしい。

こうした心理が本当に日本人に埋め込まれているのか。そうならば、済州島や朝鮮半島出身者が多く、台湾やヴェトナム人も住む生野区などは、異質な人たちの集合体であり、排除することが正義ということになる。

済州島で生まれた両親を持ち、鶴橋で生まれた作家の梁石日（ヤンソギル）（1936年〜）には、鶴橋を舞台とする作品が多い。そこには財産や特技もなく、差別を受けながら生きる済州島出身者がしばしば登場する。彼らの生きざまは砂を噛むようであり、時に過激で、狂気さえ感じさせる時もある。梁石日の作品を極端だという声もあるが、他人と同じであることに安堵し、同じような集団に埋もれ、自分と異なる人を排除しようとする日本人のひ弱さをあざ笑っているように思えてしまう。

これからも我々は、誰かが決めた自分と他人を隔てる壁に固執し、その壁の向こうの他人を排除することに何も疑問を抱かずに生きていくのだろうか。そして、その同じ口で「グローバル人材」や「ダイバーシティ（多様性）」などの流行語を発するのだろうか。もしそうならば笑止千万だ。

先日も鶴橋を地元の人と歩いた。生野コリアンタウンに向かう途中で、司馬遼太郎の父が営んでいた福田薬局の場所を教えてもらった。そこは、まさに済州島出身者が住む街の中だった。そういえば、みどり夫人にも小学校時代に済州島出身の同級生がいた。大人になって偶然再会した感動が『耽羅紀行』に書かれていた。

鶴橋の済州島民は終戦で故郷に帰り、四・三事件で再び鶴橋に戻ってきた。司馬が見ていないはずはない。しかし、文章にしなかった。おそらく、大韓民国を批判しなければならないからだろう。日本にその資格はない。済州島に愛情を覚えつつも中立に徹した。たとえるならば、四・三平和公園の白碑には決して手を触れず、傍らで、韓国人が何かを刻む時をじっと見守る姿勢だ。これが隣人としての礼儀であり義務だと思ったに違いない。

《済州島関連年表》

661年　耽羅王族の阿波伎、耽羅使として倭国（日本）に派遣。

938年　高麗に服属。1105年耽羅郡、1108年済州郡に。

1910年　日韓併合によって日本統治下に。

1922年　大阪への直行船「君が代丸」就航。大阪鶴橋周辺にコミュニティ形成。

1931年　海女の抗日運動。

1945年　日本軍の「決7号作戦」に選定。日本敗戦（8月）、朝鮮半島北部にソ連軍、南部に米軍が進駐。米軍が済州島上陸（9月）。日本軍の撤島開始（10月）。米軍政、朝鮮人民共和国を否認（10月）。

1946年　コレラで島民300人が死亡。

1947年　三・一節発砲事件（3月）。全島官民ゼネストに突入。

1948年　武装蜂起（4月）。中山間部無許可通行禁止令（10月）。麗水・順天事件（10月）。

1949年　北村里虐殺（1月）。済州飛行場で大量虐殺（10月）。

1950年　朝鮮戦争勃発（1953年に休戦協定）。

1956年　済州飛行場が民間空港として開設（1958年に国際化）。

1957年　金石範、『鴉の死』を発表。

1965年　日韓基本条約。

1966年　在日済州開発協会がミカン苗木7000本を寄贈。

1969年　済州－大阪に航空路線。71年に直行便。

1972年　朴正熙大統領、済州島を国際観光地とすることを指示。

1978年　玄基榮、『順伊おばさん』を発表。

1980年　光州事件（5月）で学生や市民の民主化要求が弾圧される。

1987年　盧泰愚大統領候補、民主化宣言（6月）。

2000年　四・三特別法公布（1月）、四・三委員会成立（8月）。

2003年　盧武鉉大統領来島、犠牲者遺族に謝罪。

2007年　済州空港で犠牲者の発掘事業。

2008年　済州四・三平和記念館開館、済州四・三平和財団発足。

おわりに

プノンペン、台湾の緑島、そして韓国の済州島。

本書の執筆を決めてから、改めてこれらの地を訪ね歩いた。この時、いつも「歎異抄」を持ち歩いた。弟子の唯円が書き留めた親鸞の言葉である。

常に心に絡みついている一節がある。親鸞が「お前は、私の言うことに従うか」と問うシーンである。唯円は「仰せの通りにいたします」と返事する。すると親鸞は「では1000人殺してみよ」と言う。唯円は驚いた。「私は1人すら殺すことはできません」と答えるのが精一杯だった。

すると親鸞は次のように説いた。「人を殺そうと思っても殺せないときがある。また、人を害する気持ちを持っていなくても、1000人、1000人を殺してしまうこともある」。

本書で紹介した場所に立つと、この言葉があまりにも真実でありすぎた。

私の理解はこうである。例えばニュースで殺人事件が報じられる時、テレビのコメンテーターは残虐な犯行だと口を尖らせて非難する。この時、明らかに、自分と犯人の間に明確な境界線を引いている。

しかし、自分が殺人者でないのは、自分が正しいからでも善人だからでもない。「業縁」に絡めとられなかっただけである。

つまり、何かが違っていれば、私も済州島に父母を残して日本に逃れてきていたかもしれない。緑島に送られて命尽きていたかもしれない。ポル・ポト兵士として自分の意思とは無関係に人の命を奪っていたかもしれない。私の考えは極端かつ空想的でバカげている。しかし、プノンペン、台湾の緑島、そして済州島に立つと、極端でも空想でもなく、限りなく真実に思えた。そして、親鸞の言葉に心から怯えてしまった。殺し殺される中に生まれてこなかったのは自分の心とは関係がない。

それでも、やはり私たちは幸せでありたいし、平和な日常を暮らしたい。そのために何ができるのか。その手掛かりを考えているとき、ブッダの次の言葉が心に入ってきた。

すべての者は暴力におびえ、すべての者は死をおそれる。己が身をひきくらべて、殺してはならぬ。殺さしめてはならぬ。

すべての者は暴力におびえる。すべての（生きもの）にとって生命は愛しい。己が身にひきくらべて、殺してはならぬ。殺さしめてはならぬ。

（中村元訳『ブッダの真理のことば　感興のことば』岩波文庫、１９７８年）

自分と他人の間は思っているほど境界がない。ならば他人を「己の身にひきくらべて」みれば良い。不幸の業縁に絡め取られたくないなら、隣人の苦難を己の身のこととして考えるしかない。私たちにできることはこれぐらいだ。しかし、自らの過去にある戦争をも忘却しつつある私たちが、隣人の苦難を直視することができるであろうか。ここで一度立ち止まり、過去と他者を振り返るべき時にきていると思う。

追記――「歴史の逆流」を防ぐために（2021年3月）

本稿を書き終えた直後、ミャンマー国軍がクーデターで権力を奪取するニュースに接した。民衆が長年の闘争でやっと手に入れた民主制度が踏み潰されたのである。今もヤンゴンを多くの民衆が埋め尽くしている。しかし、彼らの抗議は暴力で封じ込められており、連日、犠牲者の数が伝わってくる。私たちは今、時代の逆流を目撃している。歴史の逆流は恐ろしい。

他の国ではどうだろうか。少なくとも本書で取り上げた国では考えられない。虐殺や抑圧に苦しんだ記憶が時代の逆流を許さないはずだ。人権規範や民主主義制度も根づいた。経済的な豊かさも得た。政治の役割も変わった。国家のリーダーは、そこに住む人々の自由と幸せを擁護するはずだ。歴史は大きく進んだ。

しかし、コロナ禍が弾みをつけたのだろうか。世界をみわたすと、人種偏見、民族差別、人権蹂躙などが濁流となって引き返してきた。人類が英知を絞って解決に腐心してきたはずなのに、努力を嘲笑（あざわら）うかのように逆流し、私たちの足元を濡らし始めた。波はどんどん高くなってきている。歴史の逆流はミャンマーに限らない。

私たちは改めて地面を踏み固め、ラインホールド・ニーバー（1892～1971年）の言葉を銘記すべきだろう。彼は、「正義に向かおうとする人間の能力が民主主義を可能にする、しかし人間は不正義に傾く。そうだからこそ、民主主義が必要なのだ」と説いた（Reinhold Niebuhr, *The Children of Light and the Children of Darkness*, 1944）。

人間は間違いを犯す。だからこそ、異論を尊重しなければならない。民主主義はその決意の上に成り立つ。もし国家リーダーが「自分が間違うはずはない」と妄信するならば、それは民主主義の危機だ。過去には数多の危機があった。ポル・ポト時代では、異論を抱くと命が絶たれた。白色恐怖時代の台湾では、思想改造と称して緑島に放り込まれた。

つい先日（3月18日）の米中外交トップ会談では、中国が「自国流の民主主義を他国に押しつけるのをやめろ」とアメリカを非難した。しかし、民主主義の理念にアメリカ流も中国流もない。思想や信条、価値観、人種や民族、そして歩んできた道が異なろうとも、異質の存在を認め、共存の道を追求する寛容性こそが民主主義である。たしかに困難だが、歴史の逆流を防ぐ唯一の道だ。

ビルマの民主化運動に身を投じた中で痛感したのは、寛容（tolerance）の積極的な側面です。それは、自分の価値観を押しつけないことだけではありません。真の寛容とは、他人の視点を理解しようと積極的に努力することです。そのためには広い心と視野、新たな挑戦に向き合う能力に対する自信が問われています。非妥協的態度や暴力に訴えることではありません。

（アウンサン・スー・チー、1995年8月）

《参考文献》

第1章　クメールの笑顔――ポル・ポト時代のカンボジア

青山利勝『ラオス――インドシナ緩衝国家の肖像』中公新書、1995年
井上恭介、藤下超『なぜ同胞を殺したのか――ポル・ポト――落ちたユートピアの夢』NHK出版、2001年
岩崎育夫『入門　東南アジア近現代史』講談社現代新書、2017年
上田広美、岡田友子編『カンボジアを知るための60章』明石書店、2006年
神奈川県都市部住宅建設課『かながわ公営住宅40年のあゆみ――住まい・環境まちづくり』1992年
熊岡路矢『カンボジア最前線』岩波書店、1993年
スティーブ・ヘダー、ブライアン・D・ディットモア、四本健二訳『カンボジア大虐殺は裁けるか――クメール・ルージュ国際法廷への道』現代人文社、2005年
竹内正右『ラオスは戦場だった』めこん、2005年
デーヴィッド・チャンドラー、山田寛訳『ポル・ポト――死の監獄S21』白揚社、2002年
旗手啓介『告白――あるPKO隊員の死・23年目の真実』講談社、2018年
フランソワ・ビゾ、中原毅志訳『カンボジア　運命の門「虐殺と惨劇」からの生還』講談社、2002年
山田寛『ポル・ポト〈革命〉史――虐殺と破壊の四年間』講談社、2004年
Elizabeth Becker, *Bophana: Love in the Time of The Khmer Rouge* (Cambodia Daily Press, 2010)
Nhem En and Dara Duong, *Nhem En: The Khmer Rouge's Photographer at S21* (Cambodia: Nhem En, 2014)
Ben Kiernan, *How Pol Pot Came to Power* (London: Verso, 1985)
Seth Mydans, "Out from Behind a Camera at a Khmer Torture House," *The New York Times* (October 26, 2007)
Haing Ngor and Roger Warner, *Survival in the Killing Fields* (London: Robinson, 2003)

Huy Vannak, *Bou Meng: A Survivor from Khmer Rouge Prison S-21* (The Documentation Center of Cambodia, 2010).
Bophana Audiovisual Resource Center (Phnom Penh, Cambodia) https://bophana.org/
Tuol Sleng Genocide Museum(Phnom Penh, Cambodia) https://tuolsleng.gov.kh/en/
COPE VISITER CENTER(Vientiane, Laos) http://copelaos.org/

第2章　緑島という監獄島――台湾の白色テロ時代

伊藤潔『台湾――四百年の歴史と展望』中央公論新社、1993年
王育徳『台湾――その苦悶する歴史』弘文堂、1964年
王育徳『昭和を生きた台湾少年――日本に亡命した台湾独立運動家の回想　1924-1949』草思社、2011年
柯旗化『台湾監獄島――繁栄の裏に隠された素顔』イーストプレス、1992年
柯旗化『南國故郷』第一出版社、1969年
柯旗化『母親的悲願』第一出版社、1990年
何義麟『台湾現代史――二・二八事件をめぐる歴史の再記憶』平凡社、2014年
河崎眞澄『李登輝秘録』産経新聞出版、2020年
阮美姝『台湾二二八の真実――消えた父を探して』まどか出版、2006年
胡子丹『綠島因緣――白色恐怖紀事』國際文化公司、2015年
蔡焜燦『台湾人と日本精神』小学館、2001年
曹欽榮『自由遺產――台灣228、白恐紀念地故事』台灣遊藝、2017年
司馬遼太郎『街道をゆく 40 台湾紀行』朝日出版社、2009年。
高雄市政府歴史博物館編『禁錮的青春、我的夢――高雄市政治受難者的故事2』春暉出版社、2014年

陳翠蓮『二二八事件與青年学生』台北市政府文化局、2012年
Tseng Feng『偉大而美好的種籽：重繪二二八看見人民迸發的力量』前衛、2019年
野嶋剛『台湾とは何か』筑摩書房、2016年
李登輝『新・台湾の主張』PHP、2015年
若林正丈『台湾――変容し躊躇するアイデンティティ』筑摩書房、2001年
国家人権博物館ウェブサイト https://www.nhrm.gov.tw/

第3章　四・三事件と済州島の人々――板挟みの中で

「韓国アワビに聖武の思い」『朝日新聞』2018年6月23日
「対馬と済州島を結ぶ碑」『朝日新聞』2019年10月13日
金時鐘『在日のはざまで』岩波書店、2001年
金時鐘『猪飼野詩集』岩波書店、2013年
金時鐘『朝鮮と日本に生きる――済州島から猪飼野へ』岩波書店、2015年
金時鐘、佐高信『「在日」を生きる――ある詩人の闘争史』集英社、2018年
金石範『鴉の死』講談社、1985年
金石範『火山島』1〜7巻、文藝春秋、1983〜1997年
金石範『海の底から』岩波書店、2020年
金石範、金時鐘、文京洙編『増補　なぜ書きつづけてきたか　なぜ沈黙してきたか――済州島四・三事件の記憶と文学』平凡社、2015年
金賛汀『異邦人は君ヶ代丸に乗って――朝鮮人街猪飼野の形成史』岩波書店、1985年
許榮善、村上尚子訳『語り継ぐ済州島四・三事件』新幹社、2014年
玄基榮、金石範訳『順伊おばさん』新幹社、2001年

玄吉彦、玄善允訳『島の反乱、一九四八年四月三日 済州四・三事件の真実』同時代社、２０１６年
済州島四・三事件を考える会東京編『済州島四・三事件 記憶と真実――資料集――済州島四・三事件60件を越えて』新幹社、２０１０年
司馬遼太郎『街道をゆく28――耽羅紀行』朝日出版社、１９９０年
高野史男『韓国済州島――日韓をむすぶ東シナ海の要石』中央公論新社、１９９６年
文京洙『済州島四・三事件――「島のくに」の死と再生の物語』岩波書店、２０１８年
文京洙『新・韓国現代史』岩波書店、２０１５年
文京洙『韓国現代史』岩波書店、２００５年
細見和之『ディアスポラを生きる詩人』岩波書店、２０１１年
水野直樹、文京洙『在日朝鮮人 歴史と現在』岩波書店、２０１５年
李映権、玄善允訳『済州歴史紀行（済州学研究センター済州学叢書）』同時代社、２０１８年
梁聖宗、金良淑、伊地知紀子編『済州島を知るための55章（エリア・スタディーズ１６６）』明石書店、２０１８年
梁石日『血と骨』（上下）幻冬舎、２００１年
梁石日『大いなる時を求めて』幻冬舎、２０１５年
梁石日『魂の痕』河出書房新社、２０２０年

《著者紹介》

藤田賀久（ふじた　のりひさ）

1973年神戸市生まれ。

学歴：上智大学外国語学部ポルトガル語学科卒業、The George Washington University 修士課程修了（M.A., East Asian Studies, Elliott School of International Affairs）、上智大学大学院グローバル・スタディーズ研究科国際関係論専攻博士後期課程満期退学。

経歴：日中貿易商社、（公財）東京財団研究事業部、国会議員政策担当秘書、（一財）日本総合研究所理事長室付研究員、上智大学非常勤講師等を経て、現在は多摩大学・文教大学非常勤講師、慶熙大学校附設国際地域研究院日本学研究所客員研究員、寺島文庫客員研究員。オフィス・クロスポイント主宰。

研究関心領域は東アジア近現代史、国際関係論。主要著書に「『中国人の心』を巡る国際競争―近代日本の対華文化・宗教進出」（『中国21』第31号、2009年）、『台湾へ行こう！』（えにし書房、2018年）、共著『東アジアの弾圧・抑圧を考える』（春風社、2019年）など。

アジアの虐殺・弾圧痕を歩く

ポル・ポトのカンボジア／台湾・緑島／韓国・済州島

2021年 5月10日 初版第1刷発行

■著者　藤田賀久
■発行者　塚田敬幸
■発行所　えにし書房株式会社
〒102-0074 東京都千代田区九段南1-5-6 りそな九段ビル5F
TEL 03-4520-6930　FAX 03-4520-6931
ウェブサイト　http://www.enishishobo.co.jp
E-mail　info@enishishobo.co.jp

■印刷／製本　株式会社 厚徳社
■DTP・装幀　板垣由佳

 ISBN978-4-86722-101-3 C0022